New York

D0755149

Guide de l'architecture contemporaine

• • •

Susanna Sirefman
Photographie de Keith Collie

New York

Guide de l'architecture contemporaine

● ● ● ellipsis **KÖNEMANN**

•••

New York : guide de l'architecture contemporaine

ORIGINAL EDITION CREATED,
EDITED AND DESIGNED BY
Ellipsis London Limited
55 Charlotte Road London EC2A 3QT
E MAIL...@ellipsis. co. uk
www http ://www. ellipsis. co. uk/ellipsis

COPYRIGHT © 1997 pour l'édition française
Könemann Verlagsgesellschaft mbH
Bonner Str. 126, D-50968 Cologne

TRADUCTION FRANÇAISE
Anne Marie Terel, Paris
RÉALISATION Studio Pastre, Toulouse
CHEF DE FABRICATION Detlev Schaper
IMPRESSION ET RELIURE
Sing Cheong Printing Ltd
Imprimé à Hongkong, Chine

ISBN 3-89508-653-3

Susanna Sirefman 1997

Table des matières

Introduction

Ce guide n'est pas conçu comme un répertoire exhaustif des bâtiments récents de New York City. Il présente un panorama de l'urbanisme et de la topographie architecturale de la ville ainsi que des transformations qu'elle a connues au cours des dix dernières années. C'est une étude urbaine et non un regard arbitraire porté sur des chantiers particuliers.

Surnommée Gotham City, Metropolis, the Big Apple (la Grosse Pomme), New York City est peut-être la ville la plus sensuelle du monde. Franchement ambitieux, hyperactif et élégant, c'est surtout Manhattan qui est la quintessence de la séduction urbaine résolue. Sur cette île surpeuplée où s'entassent les gratte-ciel, la mise en place de tout nouvel édifice provoque des réactions en chaîne. Un bâtiment peut envoyer des ondes de choc dans tout le voisinage. Malgré une architecture terriblement conservatrice, c'est cette énergie dynamique combinée à une échelle verticale gigantesque qui contribue à la vitalité de New York.

La plupart des constructions des dix dernières années sont mêlées de près à l'infrastructure de la ville. L'architecture nouvelle détermine des foyers de changement, des secteurs d'aménagements — Bryant Park, Central Park, South Street Seaport, Lower Manhattan, Battery Park City, Union Square, Clinton, Madison Avenue et le plan d'aménagement de 42nd Street pour n'en citer que quelques-uns. Dans les « boroughs » (bourgs) périphériques — Brooklyn, le Bronx et Queens — certains quartiers bénéficient aussi de rénovations plus ou moins réussies. À Queens, le gratte-ciel de la Citicorp par Skidmore, Owings & Merrill, d'une hauteur de près de 200 m, n'a heureusement pas réussi à attirer d'autres entreprises qui auraient élevé d'autres tours mais, dans le centre ville de Brooklyn dont le quartier administratif est déjà trépidant et relativement vertical, on a construit beaucoup de gros édifices ces derniers temps.

Je n'ai pas respecté rigoureusement les limites de la dernière décennie fixées pour le choix des programmes. Je les ai étirées dans les deux sens pour inclure la Trump Tower de Der Scutt (qui remonte à 1983) — symbole incontestable de la vague de prospérité des années 1980 — et pour mentionner une entreprise « future », l'aventure inachevée de Times Square. Le début des années 1990 n'a pas connu une pléthore de nouveaux édifices; on recommence tout juste à construire des gratte-ciel. C'est pourquoi je mentionne également quelques étonnants projets de remploi et de réhabilitation dont la plupart sont à l'échelon administratif : les locaux désaffectés des services d'immigration d'Ellis Island ont été transformés par magie en musée commémoratif de l'immigration; le site d'origine de B Altman, un important grand magasin de Murray Hill, est aujourd'hui la New York's Business and Science Library (bibliothèque commerciale et scientifique de New York); un vieil entrepôt historique à Queens s'est agrandi pour abriter l'American Museum of the Moving Image (musée américain du cinéma). De nombreux architectes espèrent que cette phase de revirement, qui fait l'objet de nombreuses controverses dans les milieux professionnels, servira de catalyseur pour les constructions à venir.

L'excitation électrisante qui émane de la ville est essentiellement due à sa population diversifiée de 7 millions d'habitants. L'accent mis ces dernières années sur une nouvelle conception des espaces publics — rues, places, esplanades — prouve que les New-yorkais utilisent réellement leur domaine public. Il est amusant de le constater en plein centre de Manhattan en semaine à l'heure du déjeuner : les rues s'animent soudain de marchands ambulants de casse-croûte et quand il fait chaud, les gens s'assoient sur les barrières, les palissades et les bancs. À toute heure, Times Square offre une vue vivement colorée de ce grouillement frénétique d'activité. Le World Financial Center de Cesar Pelli à Battery Park City renferme dans son site spectaculaire une esplanade sur berge de 1,75 hectare intensément utilisée en toutes saisons — volonté exemplaire d'une architecture qui se considère socialement responsable. Le contraste avec le World Trade Center voisin, farouchement isolationniste (Minoru Yamasaki, 1976) a forcé la Port Authority (Port Autonome de New York), propriétaire des Trade Towers, à repenser son épouvantable esplanade constamment désertée.

Les possibilités de programmation illimitées pour un public si diversifié sont accablantes. New York est une ville où le savoir-faire côtoie la rudesse. On ne peut pas se contenter d'acheter une salade au magasin du coin — ce doit être une roquette, une romaine, une chicorée ou, si les temps sont durs, des légumes verts. Pourtant, pratiquement à tous les coins de rue, on peut consulter pour $5 seulement une diseuse de bonne aventure à l'air douteux. Dans les quartiers les plus chics, les prestigieux clubs de fumeurs de cigares sont installés derrière des éventaires de hot-dogs à $1. Le mobilier urbain est remplacé par des groupes très inélégants qui sortent fumer une cigarette à la porte de leurs imposants immeubles de bureaux, devant lesquels défilent constamment d'interminables escadrons de touristes habillés en Prada.

Cette diversité contribue à un délicieux art de vivre.

Tout New Yorkais est occupé à « être quelqu'un » et il en est de même pour ses bâtiments d'une manière ou d'une autre. Cette attitude n'a pas empêché une regrettable épidémie de conservatisme architectural. De nombreuses constructions conçues dans les années 1980 ne font que diffuser une brillante image de marque : l'AT & T Building de Philip Johnson, le Worldwide Plaza de Skidmore, Owings & Merrill, l'Équitable Center d'Edward Larrabee Barnes Associates, le CitySpire et le 750 Lexington Avenue de Murphy/Jahn. L'élégant « strip mall » (tronçon de la mode) de Madison Avenue est devenu le nec plus ultra de la publicité mondiale où les vitrines des boutiques de haute couture aux prix faramineux se livrent à une concurrence acharnée. Ces lieux excessifs et prétentieux ont des styles différents : du magnifique Rhinelander Mansion on ne peut plus britannique de Ralph Lauren sur Madison Avenue et East 72nd Street, à la première caisse blanche minimaliste de New York construite par John Pawson pour Calvin Klein. Cette extraordinaire vogue des boutiques s'est répandue sur le tronçon voisin de 57th Street où des nouveaux venus comme Chanel, Niketown et Warner Brothers ont attiré une clientèle diversifiée, contribuant largement à donner à Manhattan des allures de banlieue. Fort heureusement, ces projets ne sont pas des centres commerciaux verticaux repliés sur eux-mêmes (comme la Trump Tower) et bien que la plupart soient de pompeux efforts de mauvaise architecture, chaque magasin s'efforce réellement de conserver une façade sur rue.

Le capitalisme et sa voracité ont eu un effet débilitant sur la ligne des toits de New York City en étouffant la possibilité de nouveauté, d'avant-garde. Il est choquant de voir à quel point l'architecture contemporaine de Manhattan est collet monté et à l'esprit de clocher. Bien que New York soit à la pointe du progrès dans le domaine des arts, ce n'est hélas pas le cas pour l'architecture. La raison doit en être économique. Manhattan s'attache à gagner de l'argent, elle est engagée dans la course perpétuelle au dollar. Gratte-ciel et vitrines de couturiers ne sont que des produits commerciaux, des moyens lucratifs. Le souci majeur du promoteur — et donc de l'architecte — est la possibilité de commercialisation, de vente et la rentabilité.

Des mesures curieuses sont prises pour réaliser des économies. Un exemple très intéressant est la tour de bureaux du 320 Park Avenue, reconstruite en 1995 par Swanke Hayden Connell (architectes de la Trump Tower). Élevé quelques mois avant une modification du plan d'occupation des sols (POS), ce gratte-ciel de 34 étages possède une surface au sol supérieure de 50 % à celle qui serait autorisée pour un nouvel édifice sur le même emplacement. L'ossature du bâtiment a donc été conservée et on a dépensé $ 73 millions pour le reconstruire. Des modifications mineures ont été apportées à la surface au sol et le noyau logeant la machinerie a été agrandi. Les principaux changements ont porté sur le revêtement extérieur et la transformation du toit plat en gâble.

New York : guide de l'architecture contemporaine

Le POS régente la forme des constructions à Manhattan. Les interdits, compromis et exigences s'appliquant aux espaces publics sont très précis. La municipalité prend très au sérieux la question. Au milieu des années 1980, il a fallu amputer de douze étages un immeuble d'appartements en copropriété presque achevé au 108 East 96th Street quand on s'aperçut qu'il contrevenait aux restrictions locales de hauteur. Ce cas présumé compliqué a soulevé de vives controverses sur le POS new-yorkais qui ne cesse de changer.

Battery Park City et Times Square sont deux exemples de POS impératif qui freine toute possibilité de spontanéité urbaine. Battery Park City a reçu des directives extrêmement strictes (plan directeur par Cooper, Eckstut Associates) de respecter un style néo-traditionnel. C'est pourquoi, malgré la participation de très nombreux cabinets d'architecture, le projet ressemble à une communauté planifiée.

En 1993, Robert A M Stern et le graphiste Tibor Kalman de la compagnie M & Co ont conçu des normes pour les dimensions, l'échelle et le positionnement des enseignes sur les façades de West 42nd Street. Vivement critiquées en tant que « taxidermie urbaine », leurs directives sentimentales ont créé une enclave vertigineuse et énorme qui met en cause la réalité virtuelle. Simulation d'une simulation, c'est une version nostalgique du passé qui est plus grande et meilleure que ce qui existait véritablement. Mais ceci ne veut pas dire que West 42nd Street n'ait plus aucun pouvoir. Elle me trouble chaque fois que j'approche ce lieu en forme de papillon; un sentiment fleur bleue d'amour de New York m'envahit instantanément, preuve que l'agencement visuel, comme une musique de film exubérante, peut créer l'effet désiré.

En raison du conservatisme ambiant, les milieux architecturaux new-yorkais restent un domaine largement masculin et, qui plus est, de nombreux architectes de renommée internationale qui entretiennent un bureau à Manhattan n'y construisent rien. Richard Meier n'a rien construit à New York

City en vingt ans. Michael Graves a conçu une devanture à Manhattan il y a bien plus de dix ans et Aldo Rossi, qui a un bureau à Manhattan, n'y a jamais construit. Steven Holl, Gaetano Pesce et Arata Isozaki ont réalisé, tous les trois, de sensationnels travaux d'intérieur mais pratiquement aucun édifice complet (Holl est l'auteur du Storefront for Art & Architecture, un minuscule et délicieux projet au sud de Manhattan). Il serait merveilleux de voir ces architectes entreprendre des travaux à grande échelle dans la ville.

Les « boroughs » périphériques sont audacieux sur le plan architectural. Je suis heureuse de présenter les œuvres de Rafael Viñoly dans le Bronx et à Queens, l'unique projet new-yorkais de Peter Eisenman — une caserne de pompiers à Brooklyn — et deux bâtiments de Robert A M Stern à Brooklyn. Toutes ces réalisations sont de vrais plaisirs intellectuels et c'est à son détriment que Manhattan n'exploite pas davantage de si remarquables talents locaux. Malgré ces récriminations, New York demeure une ville unique, adorable, romantique et palpitante. Le dynamisme tangible du quadrillage, la silhouette accidentée et les foules d'habitants disparates ont créé le lieu le plus extraordinaire qui soit.

REMERCIEMENTS
Je remercie tous les architectes que j'ai rencontrés et qui m'ont consacré leur temps et communiqué leur documentation ; Keith Collie pour ses superbes photographies ; Tom Neville pour ses encouragements discrets ; Barbara Orlando et Margaret Kaminski de MTA New York City Transit pour leurs conseils sur les transports en commun ; Frederic Schwartz pour sa sagesse ; Kar-Hwa Ho pour ses connaissances ; mais j'adresse surtout mes très vifs remerciements à Carol et Josef Sirefman, Joshua Sirefman et Alexander Shapiro, quatre loyaux New-yorkais dont l'enthousiasme et la passion pour leur ville natale ont été une source permanente d'inspiration.
SS 1997

Comment utiliser ce guide

New York City est une agglomération de cinq « boroughs » (bourgs) dont quatre figurent dans ce guide : Manhattan, Brooklyn, Queens et le Bronx. Ce guide est divisé géographiquement : Manhattan fait l'objet de 11 chapitres qui commencent par Lower Manhattan (le sud de l'île) et remontent vers le nord, en traversant Morningside Heights et Harlem. Les « boroughs » sont ensuite traités dans des chapitres séparés.

New York est une ville merveilleuse pour le piéton. S'y diriger est d'une simplicité enfantine car le plan des rues de Manhattan est un quadrillage qui commence au-dessus de 14th Street. Les avenues suivent la direction nord-sud et les rues numérotées la direction est-ouest. Broadway est l'exception marquante – cet ancien chemin commercial des Indiens Algonquins décrit une diagonale orientée nord-sud et dévie d'ouest en est à son extrémité sud. Manhattan est née à la pointe sud de l'île et les rues déjà en place au-dessous de 14th Street ont échappé au plan en échiquier imposé en 1811.

Pour chaque édifice, la station de métro et la ligne d'autobus les plus proches sont indiquées. Les transports en commun, représentant une partie importante de l'infrastructure de New York, sont rudes mais fiables. Comme dans toute grande ville, il faut être conscient des dangers de la rue.

On peut contacter 24 heures sur 24 le MTA New York City Transit's Travel Information Center en téléphonant au 718 330 1234. Le New York Convention and Visitors Bureau Information Center donne des renseignements téléphoniques sur les transports au 212 397 8222, de 9h à 18h en semaine, et de 10h à 18h les samedi et dimanche.

En visitant les « boroughs », ne manquez pas de profiter du fait que Manhattan est une île. Columbia Heights à Brooklyn, Promenade à Brooklyn, Roosevelt Tramway (Second Avenue à West 59th Street), le ferry de Hoboken, le ferry d'Ellis Island et le pont de Triborough sont des postes d'observation pour apprécier la verticalité compacte de la ville.

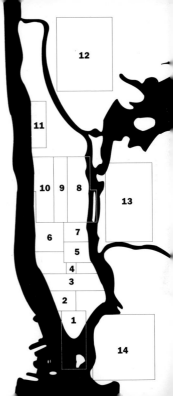

Lower Manhattan

Musée de l'Immigration d'Ellis Island

Au début du XXᵉ siècle, c'était pour les immigrants la porte de l'Amérique. La proximité visuelle d'Ellis Island et de Manhattan et le panorama exceptionnel sur la statue de la Liberté faisaient de l'arrivée une expérience symbolique extraordinaire. Aujourd'hui encore, quand on se retourne pour regarder cette ville qui évoque un jeu de construction vertical, on imagine ce que pouvait éprouver un immigrant plein d'espoir. Pourtant, Ellis Island n'a pas toujours été synonyme de rêve américain.

C'était à l'origine une barre de 1,5 hectare appelée Gull Island et appartenant aux Indiens Mohicans. Occupée par les colons hollandais en 1661, elle fut rebaptisée Oyster Island. Ayant subi plus de transformations qu'un local mal choisi pour un restaurant, c'était au milieu du XVIIIᵉ siècle un lieu commode pour pendre les pirates. Samuel Ellis l'acheta en 1780 et y ouvrit une taverne avant de la vendre au gouvernement fédéral au tout début du XIXᵉ siècle.

Jusqu'à la fin du XIXᵉ siècle, les candidats à l'immigration n'avaient qu'à se présenter en Amérique. Les formalités très simples avaient lieu au Castle Clinton et il n'existait aucune loi fédérale stipulant qui pouvait ou non s'installer dans le pays. Avec la création du Federal Bureau of Immigration en 1891, Ellis Island abrita les services de filtrage des immigrants. La surface de l'île appelée alors Fort Gibson fut portée à 7 ha puis à 14 en utilisant la terre extraite pour construire le réseau de métro de New York City. La bataille continue pour la possession de l'île : l'État du New Jersey a récemment intenté un procès à l'État de New York, revendiquant son droit à 12 ha de remblayage mais sans contester à New York la propriété de l'hectare et demi du rocher d'origine.

Quand le poste d'immigration cessa de fonctionner en 1932, Ellis Island devint un centre de détention pour les « ennemis des États-Unis » et hébergea des ressortissants allemands et autres ennemis présumés pendant les deux guerres mondiales ainsi que les éléments soupçonnés subversifs à la suite de l'Internal Security Act de 1950. L'île fut abandonnée en 1954.

Lower Manhattan

Beyer Blinder Belle 1990

Beyer Blinder Belle 1990

Les bâtiments des services d'immigration (35 en tout) furent conçus pour impressionner les arrivants. Le pavillon d'entrée a un porche de triple hauteur menant à la principale salle d'immatriculation – 60 m de long et 30 m de large avec un plafond voûté haut de 17 m. La façade de brique, style Renaissance française, était précédée d'une longue marquise de verre et de fonte abritant aujourd'hui l'entrée du musée. L'espace restauré est toujours imposant.

La rénovation a duré huit ans. Le bâtiment principal était en si mauvais état qu'il a fallu deux ans pour le faire sécher. Deux gros appareils de chauffage, placés devant l'édifice, combinés à de l'air sec sous pression à l'intérieur sont venus à bout de l'excédent d'humidité. On a ensuite procédé aux travaux d'étanchéité et réparé les fenêtres, les murs et les sols endommagés.

Beyer Blinder Belle devait effectuer de grands choix architecturaux : quelle époque évoquer, que conserver et que reproduire ? L'époque 1918-1924 fut retenue parce que c'était la période de pointe d'utilisation de l'île comme poste d'immigration. L'architecture a été conçue autour de trois nouveaux éléments : l'escalier du bureau d'immatriculation dit « escalier des soupirs » a été rétabli, une nouvelle marquise de 34 m de long a été installée ainsi qu'une terrasse donnant sur la confiserie initiale, devenue aujourd'hui cafétéria.

ADRESSE Ellis Island, New York Harbour
MAÎTRE D'OUVRAGE Statue of Liberty/Ellis Island Foundation/US
Department of the Interior, National Park Service
BUREAU D'ÉTUDES Robert Silman Associates
COÛT $ 156 millions
SUPERFICIE 20 477 m²
MÉTRO 1/9 vers South Ferry ; 4, 5 vers Bowling Green
AUTOBUS M1, M6, M15
ACCÈS libre

Lower Manhattan

Beyer Blinder Belle 1990

Lower Manhattan

Centre d'accueil des marins

Un jury décernant le prix de l'Institut américain des architectes a qualifié ce bâtiment d'« exemple type de contextualisme ». Son thème maritime est flagrant sur le site de South Street Seaport, un quartier historique de 11 îlots aux allures de parc à thème dont les rues pavées, habitées aux XVIIIe et XIXe siècles par les marchands de poisson et de bateaux, sont aujourd'hui bordées de boutiques, restaurants et musées. Organisation vieille de 155 ans qui accueille les marins de la marine marchande, son quartier général abrite une chapelle œcuménique, le club des marins, des bureaux de juristes, une galerie, un institut de formation et deux boutiques au rez-de-chaussée.

La conception de l'ensemble devait incorporer un bâtiment de quatre étages déjà existant – un magasin de fournitures pour bateaux de l'époque coloniale hollandaise de 1799. Les deux façades, initiale et récente, sont raccordées par une entrée de service qui existait dans l'angle. Le nouveau bâtiment reprend les proportions de l'ancien édifice et les mêmes matériaux – brique, granite et acier.

Revêtu d'acier émaillé de porcelaine blanche, l'extérieur est étonnant. Très influencé par Corb, Aalto et Pierre Chareau, c'est l'interprétation littérale d'un édifice en forme de navire. Aux deux derniers étages, le thème échappe à tout contrôle. Sur le toit, un fanal à l'intention des marins souligne la ressemblance avec les ponts supérieurs, les intérieurs dégagés reproduisent des ponts organisés autour d'une cheminée circulaire centrale. Une fusée de vergue arborant les couleurs de l'institut couronne l'ensemble de la composition.

ADRESSE 241 Water Street
BUREAU D'ÉTUDES Robert Silman Associates
COÛT $ 8 millions SUPERFICIE 2970 m²
MÉTRO 2, 3, 4, 5, J, M vers Fulton Street; A, C vers Broadway/Nassau Street
AUTOBUS M15, M22
ACCÈS libre pour le rez-de-chaussée, le musée et la chapelle

James Stewart Polshek and Partners Architects 1991

Lower Manhattan

James Stewart Polshek and Partners Architects 1991

TBWA Chiat/Day

La création d'une nouvelle typologie architecturale n'est pas un intérêt que partagent la plupart des praticiens contemporains ni une possibilité pratique pour eux. L'architecte vénitien Gaetano Pesce est l'exception qui confirme la règle. Obsédé par les nouveaux matériaux, les technologies du futur et les habitats révolutionnaires dans l'espace, Pesce a inventé une version nouvelle du bureau. Il reste à voir si la conception et le programme parviennent à stimuler le jaillissement créatif voulu par l'auteur mais c'est sans aucun doute un lieu ensoleillé, amusant et comme détrempé.

Jay Chiat a collaboré étroitement avec Pesce pour créer ce « bureau virtuel » de l'avenir. Il a chargé Lubowicki/Lanier Architects de concevoir en même temps un intérieur de type Los Angeles (dans un édifice de Frank Gehry commandé précédemment).

Le programme prévoyait un centre de production audio-visuelle, une salle vidéo, un studio d'art, des salles de conférence, un espace de rencontre, des casiers individuels et un salon-cafétéria. La superstructure architecturale exigeait la « déterritorialisation » : une élaboration fluide et non hiérarchique de l'espace. Le résultat est un terrain de jeu enchanteur aux 37e et 38e étages d'une tour de bureaux typique du sud de Manhattan. Les employés arrivent à l'heure de leur choix et retirent des ordinateurs portables et des téléphones cellulaires à un distributeur électronique en forme de deux énormes lèvres rouge Chanel. Seuls les casiers personnels qui ressemblent à des profils humains assurent l'intimité.

Le plan d'ensemble est celui du village italien. Il y a une piazza, un club-house, un chenil et un escalier roulant conçu comme une tribune publique itinérante avec toutes les connotations politiques voulues. Le site est doté d'une vue panoramique spectaculaire sur Manhattan et ses

Lower Manhattan

Gaetano Pesce 1994

quais. Grâce à un agencement habile, Pesce a créé des rues et des ruelles étroites qui éclatent en grandes perspectives. Les surfaces des murs sont spirituelles et inattendues – des télécommandes de télévision et des cassettes vidéo sont posées comme des briques ; ailleurs, les murs sont tapissés comme des cellules matelassées. Le polyester, la résine, le caoutchouc et le feutre sont omniprésents.

Selon les pronostics de Pesce, la société progressera dans la voie de la communication par l'intermédiaire de l'image. Son iconographie est amusante : les portes ont la forme des produits des clients et des images attrayantes sont dessinées sur le sol de résine bleu-vert et rouge orangé. Pour obtenir sur le sol cette teinte extrêmement belle et raffinée, on a versé une couche de résine pigmentée de 7 mm d'épaisseur sur une dalle de béton lisse et les dessins ont été moulés à la main en une demi-heure, avant que la résine ne durcisse.

Lower Manhattan

ADRESSE 38e étage, 180 Maiden Lane
BUREAU D'ÉTUDES Thornton Thomasetti
SUPERFICIE 4600 m²
MÉTRO 2, 3, 4, 5, J, Z vers Fulton Street ; A, C vers Broadway/Nassau Street
AUTOBUS M1, M6
ACCÈS ne se visite pas ; l'agence peut demander un droit d'entrée !

Gaetano Pesce 1994

Lower Manhattan

Gaetano Pesce 1994

Battery Park City

Le nom de Battery Park City est impropre parce qu'il évoque une ville à l'intérieur de la ville. L'aménagement ressemble plus à un appendice suburbain à la lisière sud-ouest de Manhattan, physiquement isolé du reste de la ville par la grande route à huit voies de West Street. Commandée par une combinaison peu commune d'intérêts publics et privés, l'entreprise extrêmement ambitieuse d'un montant de $ 4 milliards a attiré des critiques mitigées.

Le projet est bâti sur 46 hectares comblés avec la terre provenant des travaux de creusement exécutés pour la construction du World Trade Center aux 110 étages. Le plan directeur, élaboré sur une période de 90 jours, était centré sur le domaine public et donnait la priorité à l'affectation des espaces de plein air. L'Esplanade de 2 km qui parcourt toute la longueur du quai transforme le quart du site en parc public. Ensuite, le plan en échiquier des rues de Manhattan s'étend sur le reste des nouveaux terrains qualifiés de zone commerciale entourée de deux quartiers résidentiels (14 000 appartements au total) appelés Rector Place et Battery Place. Cooper, Eckstut espérait que l'attribution de petites parcelles à différentes équipes d'architectes et de promoteurs susciterait la diversité intrinsèque d'une ville.

Mais les directives trop strictes insistaient sur un style néo-traditionnel fondé sur les notions conventionnelles de rue et de place. Malgré la participation d'un grand nombre d'agences d'architecture, le projet ressemble donc toujours à une communauté planifiée. Le sud de Manhattan se compose de rues tortueuses aménagées au hasard ; l'organisation minutieuse de Battery Park City va à l'encontre de la spontanéité essentielle dans le développement des villes. La stratification sociale accentue l'homogénéité : locations et copropriétés, toutes haut de gamme, séduisent les banquiers qui travaillent dans le centre financier voisin. (Le gouvernement de l'État a mis en place un système étonnant qui affecte un certain pourcentage des revenus de Battery Park City aux habitations à loyer modéré des autres quartiers de Manhattan).

Lower Manhattan

Cooper, Eckstut Associates 1979-1997

Lower Manhattan

Cooper, Eckstut Associates 1979-1997

L'ordre absolu assuré par le service privé de sécurité et d'entretien ne sert qu'à exacerber la stérilité de l'aménagement.

Dans un registre plus positif, les quais du fleuve sont magnifiques, de même que les bâtiments commerciaux construits par Olympia & York et conçus par Cesar Pelli (voir World Financial Center, page 28). Une série de parcs contigus s'étend tout au long de l'Hudson, autour du luxueux port de plaisance de North Cove. Chaque parc a sa propre atmosphère car plusieurs artistes ont été invités à intervenir. South Cove est un parc rocheux sans plan défini orné d'un escalier de bois en colimaçon conçu par l'artiste Mary Miss en collaboration avec l'architecte paysagiste Susan Child et l'architecte Stanton Eckstut. Le plus récemment achevé est le parc F Wagner Jr conçu par les architectes Machado & Silvetti en collaboration avec les architectes paysagistes d'Olin Partnership. Parmi les autres artistes ayant participé au projet figurent Ned Smythe, Richard Artschwager et Martin Puryear.

ADRESSE délimité par Battery Park au sud, Chambers Street au nord, West Street à l'est et l'Hudson River à l'ouest
PLAN DIRECTEUR ET DIRECTIVES DE CONCEPTION Cooper, Eckstut Ass.
ARCHITECTES AYANT PARTICIPÉ AU PROJET Cesar Pelli & Ass.; Adamson Ass.; Haines Lundberg Waehler; Charles Moore avec Rothzeid Kaiserman Thomson & Bee; Davis, Brody & Ass.; James Stewart Polshek and Partners Architects; Conklin Rossant; Mitchell/Giurgola; Gruzen Samton Steinglass; Bond Ryder James; Ulrich Franzen/The Vilkas Group; Alexander Cooper & Ass.; Ehrenkrantz, Eckstut & Whitelaw; Costas Kondylis
COÛT $ 4 milliards
MÉTRO 1/9 vers Rector Street; N, R vers Cortlandt Street   AUTOBUS M9, M10
ACCÈS libre dans les parcs, vestibules et services

Cooper, Eckstut Associates 1979-1997

Cooper, Eckstut Associates 1979-1997

World Financial Center

Le World Financial Center, qui renferme près de 650000 m² de bureaux, représente la partie commerciale de Battery Park City. Le complexe se compose de quatre tours de bureaux, d'une cour à toit de verre (Winter Garden), de deux bâtiments d'entrée et d'une esplanade paysagée de 1,75 hectare.

Cesar Pelli a déclaré : « La ville est plus importante que le bâtiment ; le bâtiment est plus important que l'architecte. Je me rattache à ce qui est le plus fort en chaque lieu, je fais appel à ses qualités positives pour compenser le négatif ». Les bonnes intentions de Pelli sont claires dans ce vaste projet. Le complexe tout entier aborde la question de la façade sur rue en s'efforçant de traiter les particularités et les charmes du site et de se rattacher au monde à une échelle humaine. Les tours jumelles monolithiques du World Trace Center voisin de Minoru Yamasaki (terminées en 1976) ont une beauté et une importance emblématiques mais elles semblent isolées des réalités publiques. Des projets inspirés par le succès urbanistique et financier du World Financial Center sont élaborés pour aménager l'espace vide entre les deux blocs de 110 étages.

Le point de mire public du projet de Pelli est le Winter Garden (jardin d'hiver). Le toit de verre voûté en berceau mesure 37,50 m de haut, 36 de large et 60 de long. À la périphérie, restaurants et boutiques décrivent une boucle autour de ce lieu de rencontre de 1660 m² parcouru par un maximum de 35 000 personnes à l'heure. Un splendide escalier de marbre forme un amphithéâtre face à une palmeraie de 16 arbres de 27m de haut. Ce campement agréable au sol de marbre extravagant est un cadre idéal pour des manifestations culturelles gratuites sophistiquées et les marches de marbre accueillent jour et nuit des passants aux tenues les plus diverses. Comparé au Crystal Palace de Joseph Paxton construit pour l'exposition universelle de Londres en 1851, l'espace est subtilement apaisant par sa pure immensité et sa vue fantastique sur l'Hudson River.

Cesar Pelli & Associates 1988

Cesar Pelli & Associates 1988

Le Winter Garden se prolonge à l'extérieur en un espace vert élégamment dessiné – une esplanade en plein air au bord de l'eau. Le mobilier urbain en granite reprend les formes des bâtiments environnants. Ce quartier merveilleusement calme est le paradis des patineurs, des cyclistes et des amateurs de jogging. La statue de la Liberté, Ellis Island et le pont de Verrazano servent de toile de fond aux splendides yachts surveillés par hélicoptères amarrés dans la marina huppée de North Cove.

Les quatre tours trapues (hautes de 34 à 51 étages) sont surmontées de formes caractéristiques : un mastaba, un dôme, une pyramide à degrés et une véritable pyramide. L'organisation des volumes a été demandée par les promoteurs qui prévoyaient la nécessité de disposer de vastes superficies. À la limite du post modernisme, l'image de l'immeuble-jouet est compensée par la texture éblouissante de la surface. Comme chaque bâtiment de verre et de granite émerge d'une base gainée de granite, la relation entre la fenêtre et le granite se modifie jusqu'à ce que les tours finissent par être revêtues de pellicules de verre. Les chapeaux de cuivre au sommet appuient l'effet dégressif du verre réfléchissant.

ADRESSE Battery Park City, délimité par l'Hudson River, West Street, Vesey Street et Liberty Street
MAÎTRE D'OUVRAGE Olympia & York Equity Corporation
ARCHITECTES ASSOCIÉS Adamson Associates (Toronto) ; Haines Lundberg Waehler (New York)
BUREAU D'ÉTUDES Lev Zetlin Associates, M S Yolles & Partners
SUPERFICIE 827 000 m²
MÉTRO 1, 2, 3, 9, N, R vers Cortlandt Street ; C, E vers World Trade Center
AUTOBUS M9, M10, M22
ACCÈS libre dans les vestibules et le Winter Garden

Cesar Pelli & Associates 1988

Lower Manhattan

Cesar Pelli & Associates 1988

Stuyvesant High School

Cet étrange édifice monolithique semble plus approprié à un puissant centre financier qu'à un établissement d'enseignement pour adolescents talentueux. Stuyvesant est le collège et lycée public le plus cher jamais construit en Amérique et le premier à New York City depuis plus de dix ans. Il possède son propre satellite, son système informatique et un laboratoire photographique de $ 500 000. De tous les établissements d'enseignement secondaire que je me souviens avoir visités, ce fantasme collectif de marbre et de granite est le seul qui possède un bureau de réception. Avec ses dix escaliers mécaniques, ses 65 salles de classe, sa cafétéria de 650 places, son auditorium de 850 places et sa piscine avec plaquettes de chronométrage, il ressemble à un coûteux collège privé. La malheureuse construction est affublée d'un style de matériaux plus approprié à l'entreprise et imprégnée d'une atmosphère commerciale.

Stuyvesant est le meilleur établissement d'enseignement secondaire du pays et un des trois établissements new-yorkais spécialisés dans les mathématiques et les sciences. Créée il y a 90 ans, l'école est réputée pour ses anciens élèves célèbres (comme mon père) et plusieurs lauréats du prix Nobel. Près de 3000 étudiants sont sélectionnés sur concours.

Après avoir quitté un bâtiment délabré de 1907 dans le style Beaux-Arts, Stuyvesant s'est vu louer le nouveau site par l'État de New York pour un loyer annuel de $1. Le spectaculaire terrain triangulaire situé en bordure de zone urbaine à l'extrémité nord de Battery Park City est bordé par trois paysages urbains différents : le quadrillage régulier des rues de Battery Park City au sud, l'Hudson River au nord et la route nationale 9A à l'est. La vue panoramique sur la statue de la Liberté, le World Trade Center et le World Financial Center donne l'impression de se trouver au centre du monde.

Lower Manhattan

Cooper, Robertson & Partners 1992

Cooper, Robertson & Partners 1992

Les trois aspects différents de la ville qui bordent l'école en ont orienté la conception finale. La façade sud est symétrique et élégante ; le côté quai comporte trois parties à plus petite échelle ; l'élévation est est reliée à la ville par une passerelle pour piétons – un passage protégé où les étudiants circulent à un niveau différent. Conçue par Skidmore, Owings & Merrill, cette construction complexe et élégante se compose de six éléments principaux : une travée unique, un passage pour piétons, deux tours d'ascenseur et deux escaliers. Bien que reliée à Stuyvesant, la passerelle n'a aucun rapport avec l'école sur le plan esthétique.

L'unique élément éloquent du projet est une œuvre d'art commandée sous les auspices du programme « 1 % pour l'art » du ministère de la culture. *Mnemonics* par Kristin Jones et Andrew Ginzel se compose de 400 reliquaires en cubes de verre encastrés au hasard dans les murs de l'édifice.

ADRESSE 345 Chambers Street
MAÎTRE D'OUVRAGE New York City Board of Education
ARCHITECTES ASSOCIÉS Gruzen Samton Steinglass
BUREAU D'ÉTUDES Severud Associates
COÛT $ 150 millions
SUPERFICIE 37 350 m²
MÉTRO 1, 2, 3, A, C vers Chambers Street
AUTOBUS M10, M22
ACCÈS ne se visite pas

Lower Manhattan

Cooper, Robertson & Partners 1992

Lower Manhattan

Cooper, Robertson & Partners 1992

Palais de Justice de Foley Square

En 1988, l'administration des services généraux a sollicité des soumissions de projets clés en main pour deux bâtiments fédéraux – un palais de justice et un immeuble de bureaux (voir page 44). Dans le cadre d'un projet clé en main, une entité unique est chargée tant des plans que de la réalisation de l'édifice. C'est une stratégie courante pour la construction d'édifices publics qui peut être accélérée en raccourcissant le temps d'élaboration des plans. Des équipes d'entrepreneurs et d'architectes dirigées par le promoteur ont soumis des estimations de prix de revient et des propositions de plans schématiques ; à l'issue d'un interminable processus de sélection, l'équipe gagnante pour le palais de justice fut Kohn Pedersen Fox avec Lehrer McGovern Bovis comme entrepreneur pour le noyau et la carcasse, Structure Tone pour les intérieurs et BPT Properties comme promoteur.

Comme il s'agissait d'un des plus vastes complexes de cour fédérale du pays, installé sur un site étendu dans un contexte exigu, le plan choisi exigeait une prise en compte très poussée de l'échelle. On réfléchit beaucoup à l'intégration de ce gratte-ciel dans son contexte et à la définition claire des frontières entre les espaces résidentiels et administratifs. Une petite esplanade devant la façade minimise l'impact spatial de la haute construction. Sur le côté ouest, une galerie interne au rez-de-chaussée crée un sentiment de continuité entre les espaces publics.

Pour la hauteur et les formes, le style général est néo-néoclassique, inspiré du palais de justice construit en 1936 par Cass Gilbert. À une entrée protocolaire proclamant des idées conventionnelles sur le domaine public fait écho dans la composition une couronne mal équilibrée au sommet. La composition interne a été forgée autour de données complexes. Les grandes salles d'audience desservies par des espaces auxiliaires et les cabinets des juges devaient s'assortir à des zones

Kohn Pedersen Fox Associates 1995

Kohn Pedersen Fox Associates 1995

Lower Manhattan

complémentaires d'accès facile, ce qui a été partiellement réalisé en plaçant le tribunal dans un volume voûté relié à la tour haute de 123 m.

La structure verticalement complexe a trois systèmes de circulation originaux. À chaque étage successif les cabinets des juges alternent avec les salles d'audience. Les juges ont leur propre réseau de circulation doté d'ascenseurs privés alors que les prisonniers sont détenus dans leurs propres couloirs comprenant un tunnel souterrain et des portes de sortie. Les zones publiques comportent les espaces de circulation, un vestibule, une galerie traversant tout l'îlot et l'esplanade en plein air bordée de chênes.

ADRESSE 500 Pearl Street
MAÎTRE D'OUVRAGE BPT Properties, entreprise en participation avec Bechtel Investments Realty, Inc. et le Park Tower Group
ARCHITECTES ASSOCIÉS Simmons Architects
BUREAU D'ÉTUDES The Office of Irwin G Cantor
SUPERFICIE 85 560 m²
MÉTRO 4, 5, 6, J, M vers Brooklyn Bridge-City Hall
AUTOBUS M1, M9, M10, M15, M22
ACCÈS libre dans les zones publiques

Lower Manhattan

Kohn Pedersen Fox Associates 1995

Lower Manhattan

Kohn Pedersen Fox Associates 1995

Immeuble de bureaux fédéraux de Foley Square

Ce projet d'Hellmuth, Obata & Kassabaum, avec comme entrepreneur Tishman Foley Partners et comme promoteur Linpro New York Realty, a été choisi pour son mérite commercial. La ligne de conduite était d'entreprendre simultanément l'élaboration des plans, l'estimation des coûts et la sous-traitance. La construction de la structure métallique a commencé le projet encore sur la planche à dessin. Les promoteurs étaient responsables de tout : de l'efficacité des plaques de plancher à la recherche des meilleurs rabais de la part des services publics. Ce n'est pas une méthode susceptible d'engendrer une architecture novatrice; l'immeuble de bureaux fédéraux est terne mais pas déplaisant pour autant. Une organisation des volumes se combine à un revêtement gris pour créer un effet digne et discret. Une colonnade incurvée au sommet reprend le style des gratte-ciel des années 1920. Des éléments décoratifs donnent du volume à la façade – nombreux décrochements, corniches en retrait, pilastres. Il fallut modifier le plan de la galerie intérieure en cours de construction pour éviter un cimetière afro-américain mis à jour pendant les travaux. C'est maintenant un site historique protégé. Le palais de justice (voir page 40) et l'immeuble de bureaux ont beaucoup en commun. Herbert Muschamp, critique au *New York Times* spécialiste de l'architecture, a intitulé sa critique des projets « une paire de tours coincées dans des costumes de flanelle grise ». Il serait agréable de voir le gouvernement commander un bâtiment pour sa conception novatrice et non pour ses vertus économiques.

ADRESSE 290 Broadway
BUREAU D'ÉTUDES Ysrael A Seinuk
COÛT $ 276 millions   SUPERFICIE 87 300 m²
MÉTRO 4, 5, 6, J, M vers Brooklyn Bridge-City Hall
AUTOBUS M1, M9, M10, M15, M22
ACCÈS libre dans la galerie

Lower Manhattan

Hellmuth, Obata & Kassabaum 1995

Lower Manhattan

Hellmuth, Obata & Kassabaum 1995

Tribeca et Soho

Dans *Civil Architecture : The New Public Infrastructure* (McGraw Hill, 1995), Richard Dattner écrit : « Si l'on établit une comparaison entre les architectes et les docteurs, ce sont les architectes qui conçoivent les équipements publics qui se rapprochent le plus des médecins affectés au service des urgences – ils pratiquent sous l'œil du public, pèsent d'abord des exigences contradictoires, se concentrent sur l'essentiel, en évaluant constamment les priorités ». Le titre du livre révèle la préoccupation de Dattner pendant ses trente ans d'exercice. Il expose ses convictions esthétiques en ces termes : « Les concepteurs des architectures civiles agissent à la croisée de leurs aspirations culturelles, des luttes politiques et des ressources disponibles. La réalisation d'une architecture civile exige courtoisie, compromis, improvisation, concessions, patience, ténacité et sens de l'humour ».

En déclarant que l'existence de l'école primaire PS 234 est plus importante que le bâtiment lui-même, Dattner ouvre la voie à la critique. Certes, il est admirable qu'un tel ouvrage existe, certes l'édifice est une réelle réussite sur de nombreux plans. La dichotomie apparaît quand on compare ses idées sophistiquées sur les projets du domaine public et l'exécution assez désuète et affectée de cet exemple précis.

La PS 234 est la première école publique construite depuis dix ans à New York où le sous-financement du système scolaire est notoire. La ville a lancé un programme de construction de douze nouvelles écoles pour lesquelles quatre agences – Gruzen Samton Steinglass, Perkins & Will, Ehrenkrantz & Eckstut Architects et Richard Dattner & Associates Architects – ont été chargées de concevoir des prototypes de modules adaptables à des sites aux quatre coins de Manhattan et dans les « boroughs ».

La PS 234 occupe à Tribeca un site qui était autrefois au ras de l'Hudson. En raison du comblement au cours des cent dernières années,

Richard Dattner Architect 1988

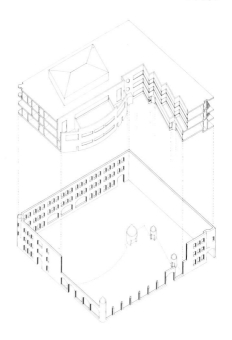

Tribeca et Soho

Richard Dattner Architect 1988

le site ne communique plus avec la mer mais il est bordé par Washington Market Park. L'édifice de trois étages a la forme générale d'un rectangle dentelé entouré d'une cour de brique. Un thème maritime ajoute une touche historique et dans la cour quatre tourelles créent des proportions enfantines. Ces phares de brique rouge sont fonctionnels : l'un abrite une petite salle de lecture, deux donnent accès à la cour du jardin d'enfants et la quatrième est un clocher dont un étudiant différent fait chaque jour sonner la cloche.

L'Intermediate School 218, située à 4600 Broadway et West 96th Street, mérite une visite particulière. Cette autre école prototype conçue par Dattner en 1993 présente une superbe façade incurvée qui engage le visiteur à entrer. Supérieur sur le plan architectural, ce collège de brique est un peu moins maniéré que la PS 234.

ADRESSE Greenwich Street (Warren-Chambers Streets)
BUREAU D'ÉTUDES Goldreich, Page & Thropp
COÛT $ 14,5 millions
SUPERFICIE 7000 m²
MÉTRO 1, 2, 3, 9, A vers Chambers Street ; C, E vers World Trade Center
AUTOBUS M10, M22
ACCÈS ne se visite pas

Richard Dattner Architect 1988

Tribeca et Soho

Richard Dattner Architect 1988

Chelsea Pictures

L'avion des années 1940, logo de Chelsea Pictures, société de production de spots publicitaires, est à l'origine de la conception classique mais branchée de ses bureaux. L'architecte Fred Schwartz crée des projets à petit budget en utilisant des matériaux pratiques. Ses autres réalisations sont Bumble + Bumble (voir page 192) et Provisions, un café sur Union Square. Schwartz a été influencé par le regretté Alan Buchsbaum, architecte du Moon Dance Diner sur Sixth Avenue et Grand Street et de bien d'autres projets fabuleux dans les années 1970 et 1980. Dans la caisse extérieure du bâtiment, conservée intacte, les nouveaux ajouts ont été placés sur un axe décalé parcourant toute la longueur de l'édifice : un espace de production non cloisonné, trois bureaux privés, une salle de conférence fermée et des zones annexes. En sortant de l'ascenseur, on se trouve sur un plateau doté de tentures de velours vert et d'un gigantesque bureau dont le dessus en verre passé au jet de sable et la base rouge annoncent l'ambiance et les matériaux à venir. Des établis industriels sont délimités par des balustrades en tuyau d'acier disponibles dans le commerce et par des joints d'aluminium. Ces éléments métalliques établissent un dialogue avec les meubles-classeurs en contreplaqué d'érable et les bureaux privatifs vitrés à encadrement d'érable disposés pour les cadres par ordre hiérarchique.

La caisse à éclairage zénithal artificiel que forme l'espace de conférence indépendant est revêtue d'une tapisserie de Bourgogne. Des chaises de style Banque d'Angleterre entourent une table extravagante mais élégante couverte d'un linoléum à fleurs des années 1940. Alignée sur une fenêtre existante, une fenêtre intérieure en bande permet d'apercevoir la ligne des toits de Manhattan.

ADRESSE 122 Hudson Street
COÛT $ 200000   SUPERFICIE 204 m²
MÉTRO 1/9 vers Franklin Street; A, C, E vers Canal Street   AUTOBUS M10
ACCÈS ne se visite pas

Anderson/Schwartz Architects 1994

Tribeca et Soho

Anderson/Schwartz Architects 1994

Fruit de la collaboration entre le restaurateur Drew Nieporent, le chef Nobu Matsuhisa de renom international et l'acteur Robert De Niro, c'est un des lieux les plus fameux de Manhattan. Snobisme oblige : il faut réserver une table plusieurs semaines à l'avance si l'on veut y dîner un vendredi, à moins, naturellement, d'être un ami du propriétaire ou, mieux encore, une célébrité.

L'espace est mélodramatique. L'architecte David Rockwell déclare qu'en abordant ses projets, il s'attache au concept de « l'architecture comme un théâtre ». Nobu ressemble à une architecture de feuilleton à l'eau de rose.

La suite d'espaces non cloisonnés (les locaux abritaient initialement une banque) a été inspirée par les paysages montagneux du Japon rural. Un riche éventail de matériaux permet de différencier les surfaces horizontales et verticales. Le haut plafond est accentué par trois troncs de bouleau véritables contenant les éclairages, surmontés de plaques d'acier rouille d'où sortent des branches de bois de frêne roussi qui répandent des ombres éthérées sur le plafond. Des fleurs de cerisiers rouges peintes au pochoir sur le sol ressemblent à des fleurs tombées.

Au petit restaurant de sushi, d'adorables chaises en baguettes témoignent du style de Rockwell. Les murs environnants, indépendants et légèrement incurvés, sont en forme de sushi et leurs finitions extravagantes : l'un est incrusté de milliers de pierres noires brillantes, sur un autre flottent des pois en feuille d'or. Des bras de lumière qui évoquent un duel d'épées de samourai alternent avec des panneaux insonorisants semblables à des rouleaux de parchemin. La nourriture est conçue avec la même théâtralité que l'espace.

ADRESSE 105 Hudson Street
COÛT $1 million   SUPERFICIE 260 m²
MÉTRO 1/9 vers Franklin Street ; A, c, e vers Canal Street   AUTOBUS M10
ACCÈS libre

Rockwell Group 1994

Rockwell Group 1994

El Teddy's

Une réplique grandeur nature de la couronne de la statue de la Liberté est posée sur ce restaurant mexicain. Elle surmonte un baldaquin en mosaïque de verre violette, orange, verte et jaune qui fait corps avec l'édifice. Ce projet hybride et éclectique dont l'iconographie présente des textures multiples est essentiellement une exploration des surfaces.

Un restaurant occupe cet emplacement depuis les années 1920. Le Teddy's se composait initialement de deux bâtiments de brique mitoyens à trois étages. Le restaurant fut recréé sous le nom d'El Internacional au début des années 1980. Conçu par l'artiste Antoni Miralda, El Internacional faisait partie d'une œuvre d'art plus vaste, le *Honeymoon Project* (projet de la lune de miel), une série internationale d'installations célébrant le mariage de la statue de la Liberté et de Christophe Colomb (une des plus mémorables étant *la robe de mariée de la statue de la Liberté* – grandeur réelle – accrochée dans le Winter Garden du World Financial Center).

Acheté et remanié par Christopher Chesnutt en 1989, le restaurant a été ressuscité : on a démonté certains éléments pour en superposer d'autres, à l'instar de son nom qui combine des termes empruntés à ses deux vies antérieures. Si le plan et la circulation à deux niveaux sont restés inchangés, les revêtements muraux et les éléments décoratifs ont été remplacés. Chesnutt a continuellement évité les clichés susceptibles d'évoquer une « allure mexicaine » : l'unique et discret hommage rendu à la cuisine servie est un revêtement mural en tissu parsemé de sombreros dans l'une des salles.

Chesnutt s'est assuré le concours de plusieurs artisans qui ont créé leurs œuvres sur place. La forme à la Gaudi du baldaquin extérieur a été façonnée au cours de sa construction en acier, treillis métallique, silicone et verre coloré. Puis le mosaïste a créé les motifs directement sur cette

Christopher Chesnutt 1989

Christopher Chesnutt 1989

structure, un bureau de réception, un lustre grandiose et un miroir. Les miroirs du vestibule, fabriqués à partir de fragments de vieilles chaises et de cadres, comportent des éléments trouvés sur place. Exercice de recyclage (avant la lettre), la rampe de l'escalier intérieur est une charmante combinaison de fourchettes soudées, de pièces de caisse enregistreuse, de rampe existante et de brûleurs de l'ancien fourneau. Une installation au néon luit sous l'escalier de Lucite. Il émane de ce projet très orné et sophistiqué un sentiment attachant de travail en cours.

Chesnutt a aussi conçu le restaurant voisin Layla, au 211 West Broadway.

ADRESSE 219 West Broadway
SUPERFICIE 650 m²
MÉTRO 1/9 vers Franklin Street
AUTOBUS M6, M10
ACCÈS libre

Christopher Chesnutt 1989

Tribeca et Soho

Christopher Chesnutt 1989

Galerie Lehmann Maupin

C'est un sentiment de déception que l'on éprouve d'abord devant cet espace flambant neuf. Beaucoup de bruit pour rien ! En plein cœur de l'allée d'art contemporain de Soho, cette vaste galerie est le seul projet réalisé à New York par le célèbre architecte Rem Koolhaas, bien que son livre *Delirious New York* – un manifeste loufoque sur la condition urbaine de Manhattan paru en 1978 – soit toujours une lecture incontournable pour les mordus de la ville.

La galerie avait pour objectif d'instaurer un dialogue entre l'œuvre d'art et l'espace. Le co fondateur David Maupin décrit leurs intentions communes en ces termes : « Plutôt qu'ouvrir une galerie de plus au sens traditionnel, nous avons voulu que la nôtre soit un espace de travail – un peu comme un atelier d'artiste. L'environnement que nous avons créé s'adapte aux besoins les plus divers : espace d'exposition, salle de présentation privée et bureau ».

Organisé autour d'un jeu de lourdes cloisons coulissantes ou suspendues, l'espace possède un potentiel qui permet de le reconfigurer diversement. Visuellement plus criard que les cubes blancs de Richard Gluckman dans les années 1980 (voir page 66), ce n'est pas un espace neutre sur le plan idéologique : les sols et les plafonds modulaires en contreplaqué sont pleins à craquer de connexions cybernétiques et d'installations électriques industrielles.

Le caractère constamment provisoire de la galerie incite à se demander comment la Lehman Maupin va évoluer. Restera-t-il des souvenirs mnémoniques de chaque exposition successive ? La subtile versatilité de la conception architecturale sera plus lisible après une série de manifestations diverses.

ADRESSE 39 Greene Street
MÉTRO 6, C vers Spring Street ; B, D, F, Q vers Broadway/Lafayette ; N, R vers Prince Street
AUTOBUS M1, M5, M6, M21
ACCÈS libre

Rem Koolhaas 1996

Tribeca et Soho

Rem Koolhaas 1996

Bar 89

Ce sont ses toilettes mixtes provocantes qui constituent le principal centre d'intérêt de ce bar/restaurant. Les initiés s'y précipitent en traversant le restaurant pour monter à ces commodités de miroir. Cinq cabines, dont les portes passent du transparent à l'opaque quand elles sont occupées, attendent la clientèle élégante. Ces portes de verre transparent à noyau de cristaux liquides sont activées par des détecteurs de mouvement. Dans la cabine, on éprouve un sentiment d'intimité et sécurité. C'est un artifice amusant dont l'utilisation de matériaux nouveaux est très appréciée.

L'esthétique des années 1990 de ces commodités imprègne la carcasse architecturale de cet édifice flambant neuf situé à Soho dans le quartier préservé de la construction en fonte. Les concepts de vues et de lumière, de contraste du transparent et du translucide ont été les moteurs du projet. La façade moderniste minimaliste très pure tire avantage du verre incurvé. L'intérieur de grande hauteur sous plafond est éclairé par une lucarne de 12 m de long contiguë au mur latéral. Un escalier théâtral de granite et d'acier en épingle à cheveux monte jusqu'à un salon en mezzanine, puis aux toilettes qui sont au sommet de la hiérarchie. Cette charpente moderne est hélas amoindrie par le mobilier de cuir noir et de métal des années 1980, suranné et hideux, la banquette noire et la série de vases à fleur unique.

ADRESSE 89 Mercer Street
MAÎTRE D'OUVRAGE NY 93 Corp
CONCEPTEURS ASSOCIÉS Janis Leonard Design Associates
BUREAU D'ÉTUDES Hage Engineering
SUPERFICIE 462 m²
MÉTRO 6, C vers Spring Street ; B, D, F, Q vers Broadway/Lafayette ; N, R vers Prince Street   AUTOBUS M1, M5, M6, M21
ACCÈS libre

Tribeca et Soho

Ogawa/Depardon 1995

130 Prince Street

Cet ajout postmoderne à Soho essaie visiblement de s'harmoniser à son environnement. Bien construit et identifié instantanément comme neuf, c'est le type même de l'Art Déco rétro mal situé. (Les projets commerciaux à New York semblent avoir une propension à l'allure néo-Art Déco qu'il est difficile de saisir). Le granite rose, les finitions vertes, le béton et l'aluminium couleur lilas passé au jet de sable créent un extérieur malencontreusement coquet. Ce projet est dépourvu de l'allure rude pour laquelle le centre de New York est réputé. L'ancienne boulangerie du rez-de-chaussée abrite aujourd'hui les boutiques de Nicole Miller et Omari.

Tribeca et Soho

ADRESSE 130 Prince Street
ARCHITECTE ASSOCIÉ Walter B Melvin
MÉTRO 6, C vers Spring Street ; B, D, F, Q vers Broadway/Lafayette ; N, R vers Prince Street
AUTOBUS M1, M5, M6, M21
ACCÈS libre dans les boutiques

Lee Manners & Associates 1988

Tribeca et Soho

Lee Manners & Associates 1988

Galerie Gagosian

Avec ses lignes nettes, la galerie Gagosian a lancé la mode de la conversion des espaces industriels en galerie élégante, aujourd'hui chose courante. Ce cadre parfait pour les sculptures contemporaines de grand format a été conçu par Richard Gluckman (célèbre pour avoir réalisé en 1987 le Dia Center au 548 West 22nd Street). Créé en pensant à l'œuvre de Richard Serra, l'espace neutre et élégant est léger, aéré et vaste. Gluckman est convaincu que l'art doit dominer l'espace, l'architecte ne jouant qu'un rôle secondaire en se contentant de créer une toile de fond. Il se décrit lui-même comme un « catalyseur pour l'artiste, non un collaborateur ».

La façade de brique large de 36 m du garage d'origine est le seul élément resté intact. On a ajouté une nouvelle porte de garage qui est à la fois un hommage à l'histoire et un équipement pratique. Cette large entrée reste ouverte l'été et en début de soirée la galerie brille de tous ses feux, offrant aux passants un bel aperçu des œuvres exposées.

L'enveloppe intérieure de la galerie a été totalement remaniée : le sol a été renforcé, le plafond surélevé au maximum et une structure en poteaux et murs a été créée pour augmenter la largeur. Le sol de béton craquelé, poli, contraste avec le blanc éclatant des murs. Gluckman a laissé à nu les poutres qui correspondent à la structure de fondation existante, visible dans les nouvelles lucarnes. Outre la lumière naturelle, un jeu d'éclairages industriels fixes à l'halogène est monté au plafond sur le pourtour des lucarnes.

ADRESSE 136 Wooster Street
BUREAU D'ÉTUDES Ross Dalland
MÉTRO 6, C vers Spring Street ; B, D, F, Q vers Broadway/Lafayette ; N, R vers Prince Street
AUTOBUS M1, M5, M6, M21
ACCÈS libre

Richard Gluckman 1994

Richard Gluckman 1994

Musée Guggenheim de Soho

Le musée s'est développé sur cet emplacement en 1992, misant sur le contexte artistique florissant de Soho. Suivant une stratégie trop proche d'une chaîne de commerces de détail, la nouvelle succursale se trouve présente dans un environnement urbain plus large. Mais le « Guggenheim du bas de la ville » offre un produit différent du « point de vente » du haut de la ville : grâce à des relations commerciales avec la Deutsche Telekom, une entreprise allemande de télécommunications, l'espace en est dans sa première phase d'aménagement en musée multimédia dernier cri consacré aux expositions axées sur l'électronique.

Conçu et reconçu par Arata Isozaki, c'est un curieux mélange d'élégance minimaliste et de pseudo-technique de pointe. Bien qu'Isozaki ait terminé son projet d'origine, je préférais l'image initiale du musée, minimaliste et sereine. Abrité dans la carcasse d'un édifice commercial de fonte datant de 1882, le bâtiment à six étages a l'avantage de posséder les plus grandes plaques de plancher du quartier (30 m de large et 60 m de long). Les galeries supérieures sont des lofts non cloisonnés à sols de chêne blanc décoloré et à colonnes élégamment rythmées. Les nouvelles installations, concentrées au rez-de-chaussée, comprennent des postes interactifs de réalité virtuelle et un mur vidéo de 4,20 x 15,30 m. Cet étage est envahi par une allure faussement industrielle qui manque totalement de naturel. L'architecture a souffert de ce que le programme du Guggenheim ait été « réduit au silence ».

ADRESSE 575 Broadway
ARCHITECTE ASSOCIÉ TAS Design
BUREAU D'ÉTUDES Gilsanz Murray Steficek
COÛT $ 6 millions   SUPERFICIE 3700 m²
MÉTRO 6, C vers Spring Street ; B, D, F, Q vers Broadway/Lafayette ; N, R vers Prince Street   AUTOBUS M1, M5, M6, M21
ACCÈS libre

Arata Isozaki & Associates 1996

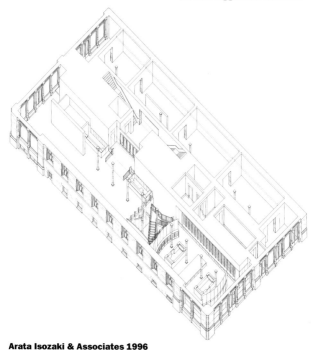

Arata Isozaki & Associates 1996

Musée d'Art africain

Soho est devenu le cœur des milieux artistiques contemporains de New York quand le quartier cessa d'être le centre industriel et commercial de la ville. Les artistes se sont installés dans les entrepôts abandonnés depuis les années 1960 et boutiques et galeries d'avant-garde poussent comme des champignons. Au cours des dix dernières années, trois musées se sont installés sur Broadway, créant un mini « Museum Row » (avenue des musées) : le musée Guggenheim de Soho (voir page 68), le nouveau Musée d'Art contemporain et le musée d'Art africain.

Le musée d'Art africain est essentiellement un loft aménagé. Maya Lin est célèbre comme l'auteur du Vietnam Veterans Memorial (mur commémoratif des vétérans de la guerre du Vietnam) à Washington DC et son approche sculpturale a mis en valeur le concept simple par ailleurs. Une statue en tuyaux de cuivre basée sur un symbole africain de l'humanité annonce l'entrée. L'espace est conçu pour être vécu comme un récit de voyage de l'entrée vers le fond : on descend un escalier sombre pour remonter un escalier doré éclatant. Les courbes irrégulières des marches qui sont le point le plus intéressant du bâtiment ont été dessinées à main levée sur place. La couleur joue aussi un rôle important dans la création de la texture du musée : le sol est en bois d'un vert bleuâtre et les murs sont gris, bleus et or.

Maya Lin est l'auteur de la création récente *Eclipsed Time* exposée dans la gare de Penn Station fraîchement rénovée (voir page 118).

ADRESSE 593 Broadway
SUPERFICIE 1160 m²
MÉTRO 6 vers Bleecker Street ; B, D, F, Q vers Broadway/Lafayette ; N, R vers Prince Street
AUTOBUS M1, M5, M6, M21
ACCÈS libre

Maya Lin et David Hotson 1993

Tribeca et Soho

Maya Lin et David Hotson 1993

Time Out New York

Le magazine londonien *Time Out* publie la liste des spectacles et manifestations et se veut « irrévérencieux, complet et indépendant ». L'édition new-yorkaise n'est pas aussi pétillante mais ce défaut est compensé par l'esthétique de son siège au centre-ville. L'espace situé dans un quartier en vogue post-industriel appelé NoHo dégage une personnalité urbaine bourrue. Ses auteurs, Margaret Helfand et Marti Cowan, décrivent leurs objectifs en ces termes : « Explorer de nouvelles façons d'aborder la création des formes, l'organisation de l'espace et la construction. Les besoins fonctionnels et structurels spécifiques sont réduits à leurs composantes de base puis deviennent le langage expressif de chaque projet. Les formes, souvent irrégulières et inattendues, sont générées par le contexte, les nécessités du programme ou la méthode de construction ».

Rien ici n'est orthogonal. Les angles abondent. Les matériaux iconoclastes flottent dans l'air et se rejoignent à des croisements inattendus pour créer des espaces originaux. On a vidé les quatre murs en ne conservant que le parquet et les murs blancs fraîchement peints – éléments reconnaissables d'un loft aménagé. Le plan d'Helfand et Cowan, commandé et réalisé en douze semaines, s'écarte subtilement du typique. Un très haut grillage métallique comme ceux que l'on trouve habituellement autour des terrains de basket au centre des villes ou pour protéger des dangers de la rue accueille le visiteur à sa sortie de l'ascenseur, offrant une bonne visibilité mais sans facilité d'accès. On aperçoit à travers les mailles des plans obliques de panneaux en fibre de verre ondulée translucide et des cloisons en bois teinté de poudre de bronze et d'aluminium.

Un vestibule décentré détermine le plan. Il est délimité par un mur ondulé en fibre de verre striée qui occupe toute la longueur de l'espace. Cette séparation transparente n'est interrompue que pour permettre d'accéder aux aires de travail individuelles. En levant les yeux, on voit des angles obliques et des formes triangulaires car les besoins en air, en lumière et en gestion de réseau s'expriment en éléments de géométrie simple.

Margaret Helfand Architects 1995

Margaret Helfand Architects 1995

Grâce aux angles particuliers, les coins étroits semblent plus vastes. Margaret Helfand explique sa stratégie : « Le vestibule discret est visuellement un grand pas car il permet aux autres éléments de se fondre dans l'arrière-plan tout en créant une combinaison de cacophonie et de contrôle. Une légère désorientation empêche l'occupant de se sentir comme une sardine en boîte ».

Des postes de travail informatisés préfabriqués pour 70 utilisateurs ont été conçus sous la forme d'un kit de pièces détachées. Construits en panneaux composites de bois sur lequel est collé un revêtement – matériau isolant caché en construction sur la couche inférieure – ils peuvent être disposés en groupes flexibles et former des pièces interchangeables. Plusieurs bureaux privés situés à la périphérie laissent la lumière filtrer vers l'intérieur à travers des cloisons en fibre de verre. Ce sont des matériaux bon marché utilisés astucieusement.

Une des préoccupations les plus originales de M. Helfand est l'utilisation des matériaux à l'état pur. La palette de *Time Out* est neutre, le seul clin d'œil à la couleur étant la poussière de bronze et les cartes postales, coupures de presse, Polaroids, livres et objets personnels qui égaient chaque poste de travail. Le jeu de la lumière filtrant à travers la fibre de verre crée une couleur naturelle. Les meubles et les accessoires – le bureau de réception en granite, les chaises réglables en caoutchouc, les meubles-cabinets et les poubelles – sont tous noirs comme jais sauf les lampes en papier d'Isamu Noguchi placées aux points stratégiques. Naturellement la plupart des employés sont élégamment vêtus de noir.

ADRESSE 7e étage, 627 Broadway
COÛT $ 216 000
SUPERFICIE 740 m²
MÉTRO 6 vers Bleecker Street ; B, D, F, Q vers Broadway/Lafayette ; N, R vers Prince Street   AUTOBUS M1, M5, M6, M21
ACCÈS ne se visite pas

Margaret Helfand Architects 1995

Tribeca et Soho

Margaret Helfand Architects 1995

Vitrine pour l'Art et l'Architecture

La relation entre l'art et l'architecture (et précisément l'architecture en tant qu'art) est encore objet de discussions. La ligne de démarcation imaginaire est élastique et se déplace selon les caprices de la mode et les théories d'avant-garde. La vitrine pour l'Art et l'Architecture fait autant office d'œuvre d'art que d'espace fonctionnel. C'est le bâtiment qui était l'objet exposé dans les premiers mois d'existence du projet. Il occupe un minuscule triangle à Manhattan. Classé comme espace non lucratif et parallèle, il est consacré à la considération de la ville comme une œuvre d'art. Fruit d'une collaboration de l'architecte Steven Holl et de l'artiste Vito Acconci, pas totalement heureuse, il a pour objet de promouvoir l'interaction publique. Estompant les frontières entre la rue et le bâtiment, le petit espace et ses environs fusionnent au point que l'intérieur et l'extérieur ne font bientôt plus qu'un.

La façade en panneaux de béton se compose de plaques irrégulières et rectilignes qui s'emboîtent comme les pièces d'un puzzle. Par temps chaud, ces plaques pivotent et le public peut les régler pour avoir plus ou moins d'ouvertures. Le fondateur Kyong Park décrit l'idée comme « Architecture pop, bon marché, symbolique et superflue, marchandisage d'une idée et d'une expérience ». Même le nom incarne l'idée de culture comme une denrée, véritable affront au monde artistique new-yorkais souvent prétentieux.

Projet fantastique, ambitieux par le concept mais léger par les détails.

ADRESSE 97 Kenmare Street
MAÎTRE D'OUVRAGE Kyong Park et Shirin Neshat, Storefront for Art & Architecture
COÛT $ 80 000   SUPERFICIE 95,3 m²
MÉTRO 6 vers Spring Street ; B, D, F, Q vers Broadway/Lafayette ; J, M vers Bowery   AUTOBUS M1, M103
ACCÈS libre

Steven Holl et Vito Acconci 1993

Steven Holl et Vito Acconci 1993

West Village,
Greenwich Village,
East Village

Industria Superstudio

Architecte en vogue qui travaille dans le monde de la mode, Deborah Berke a élaboré sa propre marque de minimalisme. Industria, superstudio de photographie de mode conçu pour Fabrizio Ferri, est un bel exemple de son processus de création extrêmement subtil.

Il ne s'y passe pas grand-chose, comme il se doit. L'espace est synonyme de toile de fond, de flexibilité, de création d'un décor neutre pour la prise de photographie. D. Berke n'a pratiquement pas touché à la structure d'origine de l'ancien atelier de réparation de Rolls-Royce et les sols de béton, les murs de parpaings, les canalisations apparentes et les surfaces vides dépeignent bien l'espace.

C'est un projet sans projet. Le but esthétique de D. Berke est de créer une architecture invisible, une architecture générique. Dépouillée et nette, elle semble très ordinaire mais un examen attentif révèle une banalité calculée. Joliment invisible et joliment générique.

West Village, Greenwich Village, East Village

ADRESSE 775 Washington Street
SUPERFICIE 1900 m²
MÉTRO A, C, E, L vers 14th Street
AUTOBUS M11, M14
ACCÈS ne se visite pas

Deborah Berke 1991

West Village, Greenwich Village, East Village

Deborah Berke 1991

Washington Court

Le plus intéressant, dans ce complexe résidentiel et commercial, a été la réaction vigoureuse de la communauté locale. Bien que Polshek ait tenu compte du site et du contexte – il habitait lui-même dans le quartier – le voisinage fut indigné. Le Greenwich Village Historic District est connu pour ses règlements stricts en matière de conservation et les résidents ont estimé qu'un édifice reflétant l'église voisine de Saint Joseph, construite en 1834 en style néo-classique, serait plus appropriée. Un débat public s'ensuivit et on aboutit à la construction d'un édifice pratiquement identique à la proposition initiale.

Vingt-quatre duplex en copropriété, quatre appartements sur le toit et 2320 m² d'espaces commerciaux sont abrités derrière une façade à trois travées, haute de six étages, en brique rouge, calcaire et terre cuite, afin de s'harmoniser aux rangées de maisons en brique des environs. La façade arrière en béton blanc et en acier s'inspire du Weissenhofsiedlung de Mies van der Rohe à Stuttgart. Le projet a posé un problème technique intéressant. Les architectes estiment important de conserver la façade sur rue sur Sixth Avenue mais, ce faisant, l'avant du bâtiment se trouvait au-dessus des lignes de métro et des égouts. La solution consista à placer les six premiers mètres du complexe en porte-à-faux au-dessus de ces tunnels souterrains, en les faisant reposer sur des colonnes placées au milieu de l'îlot. Des tampons de néoprène compressibles furent incorporés pour étouffer le grondement du métro.

ADRESSE Sixth Avenue entre Waverly Place et Washington Place
MAÎTRE D'OUVRAGE Philips International Holding Corp.
BUREAU D'ÉTUDES Andrew Elliott & Associates
COÛT $ 9,5 millions   SUPERFICIE 6270 m²
MÉTRO 1/9 vers Christopher Street ; A, B, C, D, E, F, Q vers West 4th Street
AUTOBUS M5, M6, M8
ACCÈS ne se visite pas

James Stewart Polshek and Partners Architects 1986

James Stewart Polshek and Partners Architects 1986

Institut Hetrick Martin

« Il n'y a rien là » déclare Smith-Miller + Hawkinson. « Le projet a été conçu pour offrir au visiteur des points de vue multiples. L'utilisation de la transparence permet de traverser les différentes divisions du programme. Le plan prévoit des espaces discrets aux limites mobiles pour estomper les zones fonctionnelles. » C'est une superbe illustration d'une architecture qui prend en compte la société, la désinstitutionnalisation d'une institution. Hetrick Martin est un organisme à but non lucratif proposant des services sociaux, d'éducation et de soutien aux jeunes homosexuels et lesbiennes. Trois programmes principaux sont enchevêtrés dans ce loft de Greenwich Village : le Harvey Milk High School ; le Project First Step, un programme d'information de leurs droits à l'intention des adolescents sans domicile ; et le Drop-In Center.

L'espace met le visiteur à l'aise par une visibilité renforcée. En arrivant à l'accueil principal, on voit à travers le verre ou le Lexan transparent jusqu'aux services administratifs et jusqu'aux fenêtres. La souplesse est assurée par un plan non quadrillé dont toutes les divisions spatiales sont de guingois et par les murs et les portes coulissantes qui sont la marque de fabrique des architectes. La gamme peu coûteuse de matériaux bruts revient à $ 430/m^2 – contreplaqué d'érable, aluminium et peinture pour tableau noir (la réception a un mur entier revêtu de ce matériau pour souligner l'acte de communication). Les enfants ont ajouté leur touche personnelle : ils ont peint les murs en jaune citron et accroché des tentures violettes. Les canalisations, les extincteurs automatiques d'incendie et les éclairages sont apparents près des plafonds – rien ici n'est dissimulé.

ADRESSE 2 Astor Place
BUREAU D'ÉTUDES Severud Associates
MÉTRO 6 vers Astor Place ; N, R vers 8th Street
AUTOBUS M1, M2, M3, M8, M101, M102, M103
ACCÈS ne se visite pas

Smith-Miller + Hawkinson Architects 1994

West Village, Greenwich Village, East Village

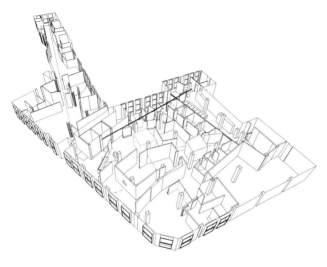

West Village, Greenwich Village, East Village

Smith-Miller + Hawkinson Architects 1994

Résidence universitaire de Cooper Union

La conception de ce projet respectueux du contexte historique a suivi trois grands principes : la synthèse des géométries des XIXᵉ et XXᵉ siècles, l'adaptation du POS existants et la notion de campus.

Le chevauchement des quadrillages imposa l'organisation de volumes carrés et rectangulaires. Il s'agit de trois constructions distinctes entrecroisées, dont la volumétrie d'ensemble est rationnelle. L'expression de l'ancien et du nouveau est obtenue par des variations de largeur sur la façade faite de couches superposées : des bandes étroites respectent le caractère du quartier alors que la façade sur rue plus large du gratte-ciel présente une allure plus contemporaine. L'emplacement forme un triangle entre l'école, la résidence et une statue de Tom Pouce. L'intérieur est un campus interne avec un espace privé donnant sur des zones publiques. Le plan directeur propose des appartements à deux chambres aux allures de loft (quatre par étage), des salles de cérémonie et des espaces communs. L'intérieur est clair grâce aux nombreuses fenêtres.

Ce bâtiment de brique rouge discret dont l'esthétique n'a rien d'exceptionnel est l'aboutissement d'un concours auquel ont participé onze architectes invités. Les trois finalistes étaient tous des diplômés de Cooper Union : Peter Eisenman, Diane Lewis et Rolf Olhausen. C'est Prentice & Chan, Olhausen qui s'est vu attribuer le marché au terme d'un an et demi de discussions.

L'École d'Architecture voisine, bâtie en 1859, a été conçue par Frederick A Peterson. Véritable symbole national, c'est le plus ancien bâtiment à charpente de poutres d'acier qui existe aux États-Unis. L'élégant intérieur a été reconstruit en 1975 par John Hejduk, le doyen de l'École d'Architecture.

ADRESSE Third Avenue et Stuyvesant Place
MÉTRO 6 vers Astor Place ; N, R vers 8th Street
AUTOBUS M1, M2, M3, M8, M101, M102, M103
ACCÈS libre dans les magasins du rez-de-chaussée

Prentice & Chan, Olhausen 1992

Prentice & Chan, Olhausen 1992

Union Square

Tours Zeckendorf

Initialement appelée Union Place, Union Square a subi de nombreuses transformations. Union Place doit son développement à sa situation à l'intersection de Broadway, de la route de malle-poste vers Albany et de celle de Boston (l'actuelle Third Avenue). Avant la guerre civile, c'était un quartier somptueux et à la mode qui abritait de nombreux magasins et théâtres huppés. En 1811 fut institué le plan en échiquier que devaient respecter les rues de Manhattan. Comme Broadway coupait la ville dans le sens sud-est nord-ouest, des places se trouvèrent créées chaque fois que cette artère croisait une avenue orientée nord-sud. Union Square, Gramercy Park, Stuyvesant Square et Madison Square furent des aménagements rappelant les nombreuses places géorgiennes de Londres.

En 1936, le parc fut redessiné et surélevé de plusieurs mètres pour faire place au nouveau métro. Après la guerre, Union Square devint un lieu de réunion populaire pour les partisans de la gauche et vit se dérouler de nombreux rassemblements et manifestations d'ouvriers. Le quartier se dégrada peu à peu et, dans les années 1970, le parc infesté de drogués était devenu le sinistre refuge des camés et de leurs fournisseurs.

En 1986 la ville rénova le parc et retira tout le feuillage sur la périphérie pour qu'on puisse le voir de la rue. On ajouta des pavillons de verre et d'acier d'inspiration Art Déco au-dessus de l'entrée du métro ainsi qu'un kiosque à journaux assorti. Ces éléments de conception banale réussirent toutefois à faire basculer l'atmosphère du parc. Aujourd'hui Union Square est de nouveau en progrès et les restaurants et cafés branchés surgissent autour de la place. Un Farmers Market (marché de produits frais) a été créé en 1976 par le Département d'Urbanisme de la ville de New York et le Conseil de l'Environnement pour attirer la clientèle dans le quartier. Bel exemple de l'efficacité d'une architecture de circonstance, ce marché de fruits et légumes a remporté un succès fantastique.

Union Square

Davis, Brody & Associates 1987

Davis, Brody & Associates 1987

La construction d'immeubles résidentiels haut de gamme fut initialement considérée comme essentielle pour l'embourgeoisement du quartier et les tours Zeckendorf furent le premier aménagement élevé dans ce but. Le grand bâtiment à usage mixte couvre un îlot entier, bordé par East 14th et 15th Streets, Irving Place et Union Square East. Mais curieusement, le projet tourne le dos à Union Square. Quatre tours contenant 675 appartements surmontent une construction rectiligne de huit étages abritant bureaux et commerces. La vie dans les tours est non seulement autarcique (les magasins et un club de remise en forme sont accessibles de l'intérieur) mais l'entrée de tous les appartements se trouve dans 15th Street – loin de la place. Une négociation entre la ville, le maître d'ouvrage et la collectivité a abouti aux commerces logés dans le socle mais la démesure de la conception ne rend nullement le cadre d'Union Square plus accueillant. De plusieurs points de vue dans le parc, on ne voit pas l'horloge de la Con Edison Tower et au lieu de rendre la place plus intime et accueillante, les tours ne servent qu'à faire planer un nouvel élément d'isolement huppé.

L'esthétique du projet est une déviation peu commune pour Davis, Brody & Associates. Vaguement postmoderne, lourd et laid, l'édifice semble trop imposant pour le site. Les pyramides flottantes éclatantes juchées au sommet des tours rachètent quelque peu le bâtiment le soir mais la masse oppressante dans son ensemble n'en demeure pas moins fâcheuse.

ADRESSE 1 Irving Place
MAÎTRE D'OUVRAGE Zeckendorf Company
BUREAU D'ÉTUDES Rosenwasser Grossman
COÛT $ 120 millions
MÉTRO 4, 5, 6, L, N, R vers 14th Street/Union Square
AUTOBUS M1, M2, M3, M6, M7
ACCÈS libre dans la zone commerciale

Union Square

Davis, Brody & Associates 1987

Union Square

Davis, Brody & Associates 1987

City Bakery

City Bakery peut être classé dans la catégorie minimaliste posturbaine classique. Les architectes ont fait preuve d'esprit et d'ironie dans leur maniement d'un budget modeste et d'un espace industriel malcommode. Des éléments industriels apparaissent dans des configurations inattendues : les patères sont de gros boulons métalliques, les portes magazines sont des tuyaux d'acier galvanisé. Le menu du jour est un rouleau de papier de boucherie suspendu. Un mur orné de boîtes à gâteaux blanches disposées symétriquement a le chic de la simplicité japonaise avec une touche new-yorkaise. Les bancs circulaires et les tables fixes avec sièges satellites tournants sur roulettes annoncent les tabourets de Turett au Newsbar (voir page 96). Conçu comme le parallèle en architecture des délicieuses pâtisseries servies sur place, l'espace a la simplicité élégante des tartes de Maury Rubin, le chef et propriétaire des lieux.

Union Square

ADRESSE 22 East 17th Street
SUPERFICIE 170 m²
MÉTRO 4, 5, 6, L, N, R vers 14th Street/Union Square
AUTOBUS M1, M2, M3, M6, M7
ACCÈS libre

Turett Freyer Collaborative Architects 1991

Union Square

Turett Freyer Collaborative Architects 1991

Newsbar

Wayne Turett, le principal créateur du Newsbar, a manifestement une prédilection pour les espaces sophistiqués. Parmi ses projets précédents figurent un kiosque à journaux postmoderne dans l'Upper West Side et le City Bakery (voir page 94). Situé dans le quartier du Flatiron, c'est le premier des trois cafés disséminés dans le sud de Manhattan (les autres se trouvent 366 West Broadway et 107 University Place). Conçu avant que la ville ne souffre d'une pléthore de vendeurs de café fade à tous les coins de rue, le Newsbar est résolument séduisant. Ces cafés « urbanisés », raffinés, presque blasés sont des lieux où il faut se montrer.

Une enveloppe de béton rugueuse revêtue de verre du sol au plafond instaure un dialogue avec la rue. Des téléviseurs fixés au-dessus du comptoir, visibles du trottoir, accentuent l'échange entre l'intérieur et l'extérieur. Les sièges peuvent accueillir 12 clients et comme il y a beaucoup de places debout près de la vitrine et des bancs à l'extérieur, l'activité déborde sur la rue.

Une collection d'environ 500 magazines et périodiques contrebalance les éléments industriels. L'utilisation novatrice de matériaux ordinaires est très frappante. Le comptoir est entouré de fibre de verre translucide. La tôle galvanisée et les fils de hauban sont utilisés pour les présentoirs à journaux pivotants conçus pour imiter la diffusion de l'information, programme premier du Newsbar. Des tables-satellites en acier brut faites sur mesure pivotent autour d'un support central fixe. Les dessus de table s'ornent de magazines de luxe insérés sous une plaque de verre. Très new-yorkais !

ADRESSE 2 West 19th Street
BUREAU D'ÉTUDES Stan Gleit
SUPERFICIE 56 m²
MÉTRO F, N, R vers 23rd Street   AUTOBUS M2, M3, M5, M6, M7
ACCÈS libre

Turett Collaborative Architects 1991

Union Square

Turett Collaborative Architects 1991

JSM Music Studios

Gisue et Mojgan Hariri présentent leur vision de cet endroit génial comme « le mouvement du souffle à travers une trompette ». Un entrelacs de l'espace, des matériaux et de l'habitation combine dans sa composition les éléments curvilignes (mélodiques) et rectilignes (rythmiques).

La superficie brute du loft était initialement de 935 m² mais une fois installés les studios d'enregistrement – une suite d'espaces clos irréguliers et bancals tracés par un acousticien – les Hariri ne disposaient plus que de 420 m² pour loger le reste du programme.

Quand on sort de l'ascenseur, un séduisant hologramme coloré du logo de JSM (œuvre de l'artiste Rudie Berkhout) miroite dans un châssis de fenêtre métallique. En entrant dans l'espace d'accueil, une vue du couloir à colonnes est contrebalancée par trois coussins bleus juchés sur un banc noir elliptique – représentation hyper-affectée de la notation musicale. Le salon bleu ciel et beige est dominé par un écran métallique incurvé qui protège l'escalier. L'acier brossé et le treillis métallique figurent inopinément parmi les éléments du plafond et on aperçoit dans l'angle une élégante cuisine en acier inoxydable.

Ce projet hésite entre une volonté architectonique dynamique et une décoration stupide. Le mobilier conçu sur mesure – tabourets de bar matelassés de bleu, tables à café faites de grilles de métro de rebut, rebords de mur de marbre en saillie – vient syncoper le rythme de jazz de l'agencement du sol.

ADRESSE 59 West 19th Street
ARCHITECTE-EXPERT Michael Berzak
BUREAU D'ÉTUDES Robert Silman Associates
SUPERFICIE 420 m²
MÉTRO 1/9 vers 18th Street ; B, D, Q vers 14th Street ; F vers 23rd Street
AUTOBUS M5, M6, M7
ACCÈS ne se visite pas

Union Square

Hariri & Hariri 1992

Union Square

Hariri & Hariri 1992

Turtle Bay et Murray Hill

Institut Skirball de médecine biomoléculaire

Trois programmes ont été logés dans ce complexe bien organisé : le rez-de-chaussée est l'accès principale du complexe médical de l'université de New York tout entier, les cinq étages inférieurs sont consacrés aux laboratoires de recherche biomoléculaire et les vingt autres étages abritent les bureaux de la faculté et les résidences des professeurs. Implanté entre deux constructions existantes, le bâtiment complète le campus urbain asymétrique couvrant quatre îlots dont les équipements comportent la NYU Medical School, la Tisch Hospital, l'Arnold and Marie Schwarz Health Care Center et le Rusk Institute of Rehabilitation Medicine. La configuration non planifiée des édifices de brique modernistes élevés entre 1957 et 1976 (conçus par Skidmore, Owings & Merrill et Perkins & Will) avait besoin d'être transformée en un tout cohérent et lisible. Les architectes ont habilement mis en place le nouveau service pour satisfaire plusieurs usages : entrée centrale, raccordement et mur directionnels menant à une cour interne.

Le hall principal, dont l'entrée est précédée d'une marquise de verre et d'aluminium aux lignes pures, a une superficie de 1 560 m². De grande hauteur sous plafond, clair et dégagé, c'est l'entrée accueillante de l'hôpital et de l'école de médecine. La construction qui assure la liaison avec le nord est très amusante : c'est un appendice anthropomorphique de verre et d'aluminium oblong et curviligne qui abrite avec beaucoup d'esprit le bureau des admissions et les salles d'attente couvrant 370 m². Le reste de la conception architecturale est assez simple. L'organisation extérieure des volumes suggère les différentes fonctions du programme grâce à l'utilisation de matériaux différents : les étages des laboratoires sont en granit flammé et les étages résidentiels en brique. Granit, aluminium, verre et brique commencent aussi à exprimer le système structural d'ouvertures.

James Stewart Polshek and Partners Architects 1992

Turtle Bay et Murray Hill

La circulation aux étages des laboratoires s'organise le long d'un couloir à double fonction. Chaque module comporte une zone de bancs et une zone de réception du côté du mur extérieur et une zone de services le long du passage, ce qui crée un autre couloir de circulation au milieu. Les étages des laboratoires ont été aménagés avec un minimum de profondeur pour profiter au maximum de la lumière du jour. Ce principe a également été appliqué aux bureaux médicaux de la faculté où quatre enfilades de pièces par étage bénéficient d'un maximum de fenêtrage, créant des salles d'attente agréables et ensoleillées.

Turtle Bay et Murray Hill

ADRESSE 550 First Avenue
ARCHITECTE-CONSEIL Payette Associates
BUREAU D'ÉTUDES Severud Associates
SUPERFICIE 51 000 m²
MÉTRO 4, 5, 6, S vers Grand Central ; 7, B, D, F, Q vers 42nd Street
AUTOBUS M1, M2, M3, M4, M42, M104
ACCÈS libre dans le hall

James Stewart Polshek and Partners Architects 1992

Turtle Bay et Murray Hill

James Stewart Polshek and Partners Architects 1992

The Pierpont Morgan Library

Cette cour-jardin close ajoutée avec de bonnes intentions n'a pas remporté le succès escompté. La cour relie quatre constructions disparates : la bibliothèque conçue par Charles McKim en 1906, une annexe néoclassique de 1928, la Pierpont Mansion de J P Morgan construite au XIXe siècle en style néo-Renaissance et un immeuble de bureaux de cinq étages.

Le nouvel atrium de liaison en verre et acier peint haut de 16 m, est couvert d'un plafond de verre asymétrique qui ondule pour essayer de pallier à la différence de hauteur de l'hôtel particulier et de la bibliothèque. Cette onde se répercute partout sur les deux plans, vertical et horizontal. Une ferme sur pied de 16,50 m de long stabilisée par des câbles pré-tendus et placée sur des colonnes revêtues d'acier soutient apparemment l'essentiel de la nouvelle construction. Bien que l'extérieur soit visuellement vigoureux, l'intérieur – rempli d'oliviers et de figuiers grimpants – semble stérile et artificiel. Les espaces morts sont excessifs : des bancs dans un étroit couloir font face à une cour inaccessible ; un ascenseur s'ouvre sur une terrasse incurvée donnant sur un passage en contrebas, et ainsi de suite.

La structure partiellement apparente ajoute une note industrielle déplacée. Devant une élévation intérieure – un grand mur élégant de calcaire portant les noms des donateurs – on est amené à souhaiter que la gamme de matériaux ait été mieux choisie. Le verre transparent, les panneaux d'aluminium revêtus d'étain et les meneaux juxtaposés aux sols de marbre gris et blanc créent une ambiance plus appropriée au vestibule d'une tour de bureaux.

ADRESSE 29 East 36th Street
BUREAU D'ÉTUDES Weidlinger Associates
MÉTRO 6 vers 33rd Street ; B, D, F, N, R vers 34th Street
AUTOBUS M1, M2, M3, M4, M16, M34, Q32
ACCÈS libre

Voorsanger Associates 1992

Turtle Bay et Murray Hill

Voorsanger Associates 1992

Bibliothèque commerciale et scientifique

La bibliothèque publique de New York, maître d'ouvrage de ce projet du centre de Manhattan, déclare qu'il est « voué à l'idéal de mettre au service de tout esprit curieux des archives exhaustives de la pensée et des réalisations humaines ». Elle peut accueillir jusqu'à 3 000 esprits curieux qui trouveront des informations techniques, scientifiques et commerciales dans cet édifice qui était jadis le grand magasin B Altman conçu en 1906 par Trowbridge & Livingstone. En raison des règlements faisant époque, les occupants actuels se sont contentés de rafraîchir les murs extérieurs épais de 2,40 m sans toucher à l'extérieur.

Gwathmey Siegel a transformé le sous-sol en espace totalement public en remaniant l'intérieur au mépris des notions traditionnelles d'espace administratif. On entre dans le Healy Hall, haut de 10 mètres, qui est une composition architecturale calculée faite de quatre éléments : ascenseur, balcon en mezzanine, escalier en courbe et peinture murale de citations. La qualité volumétrique de ces objets intérieurs assure la cohérence de la redistribution des niveaux.

Il a fallu ajouter deux étages supplémentaires pour recevoir la collection de 1,6 million de livres. Après beaucoup de recherches, les architectes et le maître d'ouvrage ont conclu que les livres en tant qu'objets jouent toujours un rôle positif dans notre culture et qu'il faut les loger. C'est pourquoi, bien que cent postes de travail informatisés soient disponibles, les lecteurs peuvent toujours entrer directement en contact avec le texte imprimé.

ADRESSE Madison Avenue et East 34th Street
BUREAU D'ÉTUDES Severud Associates
COÛT $ 100 millions
SUPERFICIE 23 000 m²
MÉTRO 6 vers 33rd Street ; B, D, F, N, R vers 34th Street
AUTOBUS M1, M2, M3, M4, M16, M34, Q32
ACCÈS libre

Turtle Bay et Murray Hill

Gwathmey Siegel & Associates Architects 1996

Turtle Bay et Murray Hill

Gwathmey Siegel & Associates Architects 1996

Morgans

Aucune enseigne n'annonce le Morgans, le plus snob des hôtels d'Ian Schrager et Steve Rubell (voir pages 126 et 128). Il faut être initié pour repérer cet hôtel. La façade des années 1920 a été découverte derrière celle en marbre blanc sûrement ajoutée dans les années 1960. Après rénovation des détails et du revêtement, l'élévation à triple arcade est d'une distinction discrète. Les propriétaires ont fait appel pour la décoration intérieure à Andrée Putnam, l'élégante styliste parisienne réputée pour son goût du luxe sobre et unique fabricante et distributrice autorisée (Ecart International) des meubles et des tapis d'Eileen Gray et Robert Mallet-Stevens. L'entrée discrète donne sur un petit vestibule au sol en trompe-l'œil qui crée une interaction tridimensionnelle entre les carreaux de granite et un tapis aux damiers illusoires. Les meneaux de bronze qui renvoient la lumière sur les murs de verre accentuent l'effet de vertige.

L'édifice avait abrité l'Executive Hotel, un établissement de réputation douteuse, et le plan de niveau des chambres relativement petites n'a pas été modifié. Andrée Putnam s'est attachée au traitement des surfaces : les 154 chambres sont à dominante grise avec de merveilleux meubles en érable posés sur des tapis d'Eileen Gray. On a beaucoup parlé des salles de bains. Le carrelage à damiers noir et blanc, les lavabos de chirurgie en acier inoxydable et les gigantesques portes de douche étaient le nec plus ultra du chic urbain quand l'hôtel fut inauguré au milieu des années 1980.

ADRESSE 237 Madison Avenue
MAÎTRES D'OUVRAGES Steve Rubell, Ian Schrager, Philip Pilevsky
COÛT $ 4,5 millions
MÉTRO 4, 5, 6, 7, s vers Grand Central
AUTOBUS M1, M2, M3, M4, M42, M104
ENTRÉE libre dans le vestibule

Haigh Space Architects et Andrée Putnam 1985

Turtle Bay et Murray Hill

Turtle Bay et Murray Hill

Haigh Space Architects et Andrée Putnam 1985

Theater District et Garment District

Centre de congrès Jacob K Javits

« Le centre du monde » annonce l'enseigne du Jacob Javits Convention Center. Curieusement excentré par rapport au plan général de programmation de New York City, c'est une construction vaste, colossale, monstrueuse, gigantesque.

Prévu pour être le plus grand centre de congrès d'Amérique logé sous un seul et même toit, c'est en fait le troisième mondial. Le site de 11 hectares couvre cinq pâtés de maisons et le bâtiment de 9 hectares à l'échelle d'une aérogare internationale, est trois fois plus grand que le New York Coliseum dont il reprend les fonctions. Il comprend au total 150 000 m² de superficie utile, 67 500 m² d'espaces d'exposition, notamment un hall de 38 440 m² censé être assez grand pour abriter la statue de la Liberté. Il peut accueillir 85 000 personnes. Outre les bureaux, entrepôts et zones de service, les cuisines, restaurants et magasins, il abrite plus de cent salles de réunion privées.

Le centre est situé dans un quartier remblayé peu industrialisé et essentiellement résidentiel qu'occupait autrefois Hell's Kitchen (voir page 138), un dépôt de gare à ciel ouvert. Il devait contribuer à rajeunir le quartier qui, malgré un certain embourgeoisement local, est toujours délaissé et isolé. Une effrayante esplanade en plein air d'un demi-hectare occupée par les pigeons et les sans-abri est abandonnée de l'autre côté de la rue. Il devait y avoir une cascade et un accès souterrain au centre mais ni l'un ni l'autre ne fonctionnent. Arriver à pied ou même en taxi est décourageant.

Avec deux ans de retard sur les prévisions et un dépassement de budget de $ 125 millions, le projet a été submergé de problèmes. Il a fallu sept ans pour le mener à terme car les idées changeaient, les budgets montaient en flèche et des problèmes techniques apparaissaient. Une loi en vigueur dans l'État de New York, la Wickes Law, stipule que les travaux de plomberie, électricité, structure, mécanique et ascenseur doivent être adjugés à des maîtres d'œuvre différents. Le Javits Center a employé 62 maîtres d'œuvre indépendants et il a

I M Pei & Partners 1986

Theater District et Garment District

I M Pei & Partners 1986

fallu rédiger de nouveaux codes de construction car il n'existait aucune directive adaptée à un si vaste bâtiment.

La construction tout entière est une structure tridimensionnelle en treillis modifiée, une structure légère à deux couches dans laquelle des tubes d'acier sont reliés à des nœuds sphériques. Cette structure tridimensionnelle la plus vaste des États-Unis a été construite à partir d'éléments préfabriqués montés selon des modèles tétraédriques. Le centre est orienté vers l'Empire State Building et tourne malheureusement le dos au fleuve. Le long du mur intérieur ouest du grand hall intérieur se trouve une construction de béton trapézoïdale et indépendante que les projeteurs désignent comme un « bâtiment au sein d'un bâtiment ». Ce noyau abrite des pièces en enfilade vitrées d'où les directeurs peuvent observer les étages d'exposition.

L'intérieur est extraordinaire : autant le centre est sombre et laid de l'extérieur, autant il est clair et intéressant à l'intérieur. On voit la construction d'acier gris dans son intégralité et on jouit d'un panorama fantastique sur la ville. Malgré la musique de fond enregistrée et le sol de marbre rose, les bancs et les colonnes de béton donnent l'impression que ce n'est qu'un hangar géant construit avec des matériaux fantaisistes.

ADRESSE 655 West 34th Street
MAÎTRE D'OUVRAGE New York Convention Center Development Corporation, filiale de la New York State Urban Development Corporation
ARCHITECTES ASSOCIÉS Lewis, Turner Partnership
BUREAU D'ÉTUDES Weidlinger Associates, Salmon Associates
SUPERFICIE 150 000 m²
MÉTRO A, C, E vers 34th Street/Penn Station
AUTOBUS M34, M42
ACCÈS libre dans le vestibule

I M Pei & Partners 1986

I M Pei & Partners 1986

Pavillon d'entrée du chemin de fer de Long Island

La Pennsylvania Station d'origine, construite par McKim, Mead & White en 1910, était un des monuments les plus majestueux de Manhattan. La somptueuse salle d'attente s'inspirait des thermes de Caracalla à Rome et les trains entraient dans un immense hangar de fer et de verre. L'établissement de quatre étages qui couvrait 6 hectares a été totalement démoli en 1963 et remplacé par une gare située à 9 m de profondeur pour permettre d'aménager Madison Square Garden au-dessus.

Penn Station a subi récemment un remaniement et une rénovation indispensables avec, au rez-de-chaussée, une nouvelle entrée remarquablement architecturée pour le chemin de fer de Long Island qui est le seul élément de cette ligne visible au-dessus du sol. Penn Station est en train de réapparaître au grand jour.

Le secteur où est située cette nouveauté est constamment animé d'une activité trépidante. Banliusards, touristes, acheteurs et employés s'affairent ; le grand magasin Macy's et Madison Square Garden attirent de nombreux piétons. Placée le long d'un îlot composé de bâtiments commerciaux et de bureaux à un seul niveau, la nouvelle entrée est un élément imparable pour identifier la gare. Selon la description des architectes, le projet se compose de quatre éléments : une coque extérieure de brique, une tour de verre et d'acier, un auvent suspendu et un hall pour les escalators. L'élément le plus séduisant sur le plan esthétique est la marquise de verre et d'acier, longue de 6,30 m. Elle est suspendue au-dessus du trottoir par d'épais câbles métalliques qui descendent en éventail. Ceux-ci sont fixés à un mât en acier inoxydable de 32 m dont le sommet porte une balise lumineuse, symbole historique des chemins de fer.

La tour de verre, haute de 27 m, est totalement transparente. Soutenue dans sa structure par des colonnes peintes en dentelle d'acier et des

R M Kliment & Frances Halsband Architects 1994

traverses, elle s'harmonise parfaitement au vocabulaire traditionnel des gares. Les murs-rideaux sans meneaux permettent à la lumière naturelle d'éclairer le tunnel du grand hall dans la journée, tandis que le soir la lumière artificielle est d'un très bel effet. La tour de verre est encastrée dans une coque extérieure de maçonnerie qui abrite les tours de refroidissement, les archives et les zones de service. Ce mur de brique rouge dont les boutisses sombres dessinent une diagonale, sert d'enveloppe protectrice tout en s'acquittant de ses fonctions : abriter le dispositif de climatisation du grand hall souterrain de la ligne de chemin de fer de Long Island.

Il ne faut pas manquer l'œuvre de Maya Lin, *Eclipsed Time*, un cadran solaire sculptural placé sur le plafond du tunnel souterrain reliant les quais de la gare et la station de métro. C'est un énorme disque d'aluminium qui effectue une rotation en 24 heures, en masquant une source de lumière placée au-dessus d'un disque fixe en verre. Le concept est vigoureux mais l'œuvre est malheureusement mal placée et rarement remarquée.

ADRESSE Pennsylvania Station
MAÎTRE D'OUVRAGE Long Island Rail Road
ARCHITECTES ASSOCIÉS ET BUREAU D'ÉTUDES TAMS Consultants
COÛT $ 20 millions
SUPERFICIE 186 m²
MÉTRO 1, 2, 3, 9, A, C, E vers 34th Street/Penn Station
AUTOBUS M4, M10, M16, M34, Q32
ACCÈS libre

Theater District et Garment District

R M Kliment & Frances Halsband Architects 1994

R M Kliment & Frances Halsband Architects 1994

Times Square

Le réaménagement (ou la régression) de Times Square est un grand « chantier » urbain qui aura des incidences architecturales sur tout Manhattan. Le carrefour en papillon où Seventh Avenue, Broadway et West 42nd Street se rencontrent, devient un phénomène multimédia. Ces pâtés de maisons constituant le foyer de changement le plus visible de Manhattan sont un exemple de la prolifération d'une uniformisation totale. Le passant est assailli par une quantité prodigieuse d'informations – d'énormes panneaux d'affichage et enseignes lumineuses font la publicité de Calvin Klein, Maxwell, Kodak, différents films et communiquent les plus récentes données financières. Fascinant assortiment du consumérisme nord-américain, l'impitoyable tapage visuel est remarquable et adorable, mais l'instigateur du revirement de Times Square est moins satisfaisant.

La New York State Urban Development Corporation, organisme municipal et national, en collaboration avec la New York City Economic Development Corporation, a consacré plus de quatorze ans et $ 290 millions à l'éradication de l'industrie du sexe à Times Square. Le thème dominant du programme, intitulé « 42nd Street Now » (la 42e rue aujourd'hui), est la sentimentalité. Comme les magasins pornographiques et les peep-shows ont été supprimés, la Disney Corporation a réclamé une grande partie du site, suivie par Madame Tussaud's et MTV. Cet afflux de spécialistes du parc à thème signifie que le véritable centre de Manhattan va maintenant présenter une surabondance d'espaces urbains illusoires. Les amateurs de nostalgie peuvent visiter des centres d'attractions qui proposent l'expérience d'un Manhattan qui n'a jamais existé et n'existera jamais. Times Square s'adresse au tourisme de masse et se situe dans la catégorie des spectacles familiaux (avec accord parental).

Bien que Times Square ait été traité comme un centre médiatique traditionnel, l'innovation technologique et les moyens numériques sont en bonne place. L'enseigne Coca-Cola au centre de la place contient 55 tonnes de fibres optiques. Une publicité de Joe Boxer a branché un télescripteur sur

1997

1997

Internet pour que les messages électroniques personnels en provenance du monde entier soient vus par le million et demi de piétons qui traversent chaque jour – synthèse intéressante des domaines public et privé.

La transformation a commencé il y a plus de dix ans quand Philip Johnson et John Burgee furent chargés de concevoir quatre gratte-ciel identiques. Le plan fut rejeté en 1992. Robert A M Stern et le graphiste Tibor Kalman furent alors sélectionnés par l'UDC (conseil de district urbain) pour élaborer des normes pour le quartier, notamment des spécifications portant sur les dimensions, l'échelle et le positionnement des enseignes. Avec un effet comparé par les critiques à la « taxidermie urbaine », ces règlements sont obligatoires pour tous les nouveaux édifices. Il faut espérer qu'une architecture intéressante apparaîtra malgré ces directives restrictives. Fox & Fowle est en train de concevoir un gratte-ciel de 47 étages sur Broadway entre West 42nd et West 43rd Streets. Hardy Holzman Pfeiffer a fait un travail remarquable de rénovation au Victory Theater (passant pour le premier cinéma pornographique de West 42nd Street, spécialisé maintenant dans les programmes pour enfants). L'étourdissant Official All Star Cafe de David Rockwell est abrité par le Virgin Megastore conçu par BNK Architects et Irvine and Johnston. Le projet le plus prometteur est un hôtel et un complexe mixte sur West 42nd Street et Seventh Avenue construits par les architectes d'Arquitectonica et de Disney dont le siège se trouve en Floride. Cette tour conçue comme la clé de voûte de tout le projet de réaménagement abritera le Disney Vacation Club et sera achevée en l'an 2000.

ADRESSE zone délimitée par West 42nd et 47th Streets, Broadway et Seventh Avenue
MÉTRO 1, 2, 3, 7, 9, N, R, S vers 42nd Street/Times Square
AUTOBUS M6, M7, M10, M27, M104
ACCÈS libre

Theater District et Garment District

1997

Theater District et Garment District

1997

Hôtel Royalton

Élégant et stupide, c'est un hôtel consacré aux victimes de la mode. Inutile de se présenter autrement que vêtu de noir et armé d'un téléphone portable. Ne pas se laisser intimider par la beauté impitoyable du personnel.

Ce bâtiment néo-géorgien de 1897 était autrefois la résidence huppée d'un célibataire. On a vidé les quatre murs de la construction et remplacé les 90 chambres d'origine par 171 nouvelles. Le mobilier des chambres est maintenant encastré, sur le modèle des yachts de luxe. L'élégant vestibule de 54 m de long s'inspirant du théâtre et de la mer n'est jamais touché par la lumière du jour. Son allée est moquettée de bleu marine et sa réception de style Art déco nichée derrière un mur incurvé d'acajou. La plupart des surfaces sont d'un luxe exquis : acajou aux teintes chaudes, ardoise, acier inoxydable, chrome. Les murs de plâtre ciré servent de toile de fond à des chaises longues recouvertes de housses, aux pieds à la mode, et à des sofas à haut dossier. Les housses blanches (agrémentées de quelques housses violettes ou pêche) donnent l'impression que tout le monde est en vacances. Ou peut-être des travaux de peinture sont-ils imminents…

Les arrangements floraux se mêlent aux glands des cordons aux couleurs vives. Miroirs, tentures et « gouttes de Starck » en argent abondent. L'espace le plus prétentieux est aussi le plus amusant. Le bar à champagne, un espace circulaire fermé de 57 m, est matelassé de velours du sol au plafond. Les murs azur et les tabourets ronds créent une atmosphère sous-marine gargouillante.

ADRESSE 44 West 44th Street entre Fifth et Sixth Avenues
MAÎTRE D'OUVRAGE 44th Street Hotel Associates
BUREAU D'ÉTUDES Stanley H Goldstein
MÉTRO B, D, F, Q vers 42nd Street ; 7 vers 5th Avenue ; 1/9, 2, 3, N, R, S vers 42nd Street/Times Square   AUTOBUS M5, M6, M7, M42, M104
ACCÈS libre

Gruzen Samton Steinglass/Philippe Starck 1989

Gruzen Samton Steinglass/Philippe Starck 1989

Hôtel Paramount

Cet autre hôtel en vogue d'Ian Schrager, terminé après le Royalton (voir page 126), n'a que des chambres individuelles. Il est ingénieux et moins maniéré. Situé au cœur du quartier des théâtres, le Paramount a 610 chambres qui coûtent le quart de celles du Royalton. L'aménagement intérieur étant resté inchangé, chaque chambre individuelle mesure 3,60 m x 4,20 m. L'élégant extérieur de marbre et de terre cuite (conçu par Thomas Lamb) a été restauré pour retrouver son standing d'origine de 1927. Une façade de verre a été disposée entre les arcs de marbre. Les passants sont intrigués par un astucieux arrangement floral : des roses rouges placées une par une dans des éprouvettes disposées symétriquement couvrent un mur de marbre dans son intégralité.

Une fois de plus, c'est le hall qui est le modèle du genre. Conçu comme un salon intime, il a un tapis à damiers jonché de sofas de Jean-Michel Frank légèrement déchirés, une chaise en bois de Gaudi et une chaise longue en aluminium de Mark Newson. Des téléphones à cadran à l'ancienne mode sont placés stratégiquement sur des dessertes pour créer une impression de confort.

Au premier étage, une mezzanine abrite un bar-restaurant élégant et surplombe le hall dégagé. Un escalier spectaculaire en pierre et en stuc crée dans le vestibule un centre d'intérêt visuel. Les touches ironiques et spirituelles sont omniprésentes : des miroirs inclinés avec les prévisions météorologiques lumineuses sont placés dans les couloirs; la Dentellière de Vermeer est sérigraphiée sur la tête de lit dans toutes les chambres.

ADRESSE 235 West 46th Street
MAÎTRE D'OUVRAGE Ian Schrager, Philip Pilevsky, Arthur Cohen
BUREAU D'ÉTUDES Stanley H Goldstein, Michael Guilfoyle
MÉTRO 1, 2, 3, 7, 9, N, R, S vers 42nd Street/Times Square
AUTOBUS M6, M7, M10, M27, M104
ACCÈS libre

Theater District et Garment District

Haigh Space Architects/Philippe Starck 1992

Theater District et Garment District

Haigh Space Architects/Philippe Starck 1992

D E Shaw & Co

D E Shaw & Co est une société de placement, très informatisée. Holl considère son projet pour ces bureaux situés au 40e étage comme « une analogie du travail invisible effectué en ce lieu ». Avec un budget modeste, Holl a réinterprété deux inspirations architecturales gratuites : l'espace et la lumière. La sérénité émane de la salle de réception de grande hauteur sous plafond. C'est une caisse de lumière sculpturale de 9 m de haut, 6,30 m de large et 8,4 m de long. Le mur n'éclipse l'horizon sensationnel. Ce mur et les murs latéraux sont faits de deux couches de panneaux de gypse séparés par des tenons. La couche intérieure s'orne de découpes rectilignes dont le fond est peint avec une peinture fluorescente d'un vert-jaune, populaire pour les panneaux d'affichage dans les années 1950, et elle est rétro, et éclairée par la lumière naturelle ou artificielle. Holl appelle cette technique « la couleur projetée ». La couleur reflétée est abstraite et impalpable à l'instar du travail de la compagnie qui est invisible. Des détails élégants parachèvent le projet : les sols brillants réfléchissants sont des carreaux de vinyle noir cirés et toutes les portes condamnables et les plinthes sont en acier. La salle de conférence possède une table de métal faite sur mesure avec des découpes superposées et des incrustations de verre translucide. Des appareils électriques faits sur mesure, composés de cylindres de divers diamètres en verre passé au jet de sable, sont suspendus au-dessus de cette table.

Les murs intérieurs sont rétro-éclairés la nuit par des installations fluorescentes invisibles. Vus de la rue, deux des étages supérieurs de ce gratte-ciel du centre de Manhattan dégagent un mystérieux et merveilleux éclat.

ADRESSE 120 West 45th Street
COÛT $ 700 000   SUPERFICIE 1020 m²
MÉTRO B, D, F, Q vers 42nd Street ; 7 vers 5th Avenue ; 1/9, 2, 3, N, R, S vers 42nd Street/Times Square   AUTOBUS M5, M6, M7, M42, M104
ACCÈS ne se visite pas

Steven Holl 1992

Steven Holl 1992

Double Tree Guest Suites Hotel

Il s'agit d'un des premiers projets construits conformément aux nouvelles directives s'appliquant aux enseignes à Times Square. Un POS adopté en 1986 rend obligatoire les grandes enseignes lumineuses clinquantes sur toute construction nouvelle car les enseignes au néon sont jugées indispensables à la nature commerciale du quartier. C'est pourquoi six étages de cet hôtel sont enveloppés de 935 m² d'enseignes lumineuses et la façade porte des panneaux d'affichage électroniques incurvés de 36 m de haut.

Véritable défi sur le plan technique, ce gratte-ciel de 43 étages et 150 m de haut enjambe un théâtre existant grâce à deux fermes de 39 m qui reposent sur quatre grandes colonnes, deux à l'est et deux à l'ouest. Les fermes composites d'acier et de béton, profondes de 17 m, sont reliées à 17 fermes plus petites qui transmettent la charge des grandes fermes à une dalle de béton qui encadre la tour de l'hôtel. 38 étages de la tour abritent l'hôtel, des espaces publics et des commerces. Le théâtre de cinq étages et 1700 places, conçu par Kirchoff & Rose en 1913, a reçu une marquise et une façade neuves.

ADRESSE 1564-6 Broadway
MAÎTRE D'OUVRAGE Silverstein Properties
BUREAU D'ÉTUDES DeSimone, Chaplin & Associates
SUPERFICIE 43 000 m²
MÉTRO 1/9 vers 50th Street ; B, F vers 47-50th Street Rockefeller Center ; D, E vers 7th Avenue ; N, R vers 49th Street
AUTOBUS M10, M107
ACCÈS libre dans le hall

Fox & Fowle Architects 1990

Theater District et Garment District

Fox & Fowle Architects 1990

DKNY Penthouse Showroom

Ce pavillon de verre et d'acier, voûté de 8,50 m de haut, est perché comme un cacatoès sur le toit d'un édifice de douze étages. Surmonté d'un panneau portant le logo de DKNY, il semble dialoguer au niveau des toits avec un autre panneau de DKNY à plusieurs pâtés de maisons de là, sur Times Square. « C'est une tête sur un corps » déclare l'architecte Nicholas Goldsmith. Le rythme rapide chez DKNY – la maison de mode s'est développée au point de reprendre la totalité du bâtiment – a entraîné un besoin de souplesse. Chaque élément a une fonction double : deux types d'éclairage sont dissimulés dans des bacs suspendus sous les fermes spectaculaires du toit en forme de papillon ; ils contiennent aussi des présentoirs de tissus. Un escalier escamotable suspendu par un câble, inspiré des fameuses sorties de secours de New York, s'abaisse à partir d'une mezzanine pour faire office de podium lors des défilés de mode. La sonorisation et un système vidéo peuvent transformer l'espace et on peut tirer des gradins de leurs renfoncements pour accueillir 200 personnes. C'est un espace éblouissant, terriblement élégant.

On accède à la salle d'exposition par un escalier en colimaçon enfermé dans une cage cylindrique en verre. Dans un échange mimétique entre l'intérieur et l'extérieur, le paysage du toit posturbain est à l'intérieur alors que le visiteur a la nette impression de flotter à l'extérieur, au-dessus de la ligne des toits de Manhattan. C'est absolument fabuleux !

ADRESSE 240 West 44th Street
MAÎTRE D'OUVRAGE The Donna Karan Corporation
BUREAU D'ÉTUDES Ross Dalland
COÛT $ 4,2 millions   SUPERFICIE 150 m²
MÉTRO 1, 2, 3, 7, 9, N, R, S vers 42nd Street/Times Square ; A, C, E vers 42nd Street   AUTOBUS M6, M7, M10, M27, M42, M104
ACCÈS ne se visite pas

FTL Architects 1992

Theater District et Garment District

FTL Architects 1992

1585 Broadway

Le premier gratte-ciel de Gwathmey Siegel a des proportions hostiles et un revêtement troublant. Plaquée d'un motif géométrique de verre bleu-vert, ou à motifs blancs, de miroirs, de panneaux d'aluminium argent et d'acier inoxydable poli, la façade est très brillante. Exploration de l'opacité et de la réflectivité, les motifs sont trop chargés. Le plan en échiquier de Manhattan ne se transfère pas aisément à un graphisme vertical. Le bâtiment fut acheté par la société d'investissement Morgan Stanley au début des années 1990 et occupé en 1995. Comme l'exigeait le POS (voir page 122), une grande enseigne fut créée (par Gwathmey Siegel). Elle se compose de deux cartes circulaires hautes de 13 m dont les horloges à affichage numérique aux multiples fuseaux horaires évoquent les places financières du monde. Elles sont entourées de trois téléimprimeurs électroniques de 42 m de long donnant des informations en temps réel. Au rez-de-chaussée, des ailettes plaquées de miroirs décoratifs énoncent l'adresse du bâtiment. L'organisation des volumes est plus réussie que son enveloppe. Une base à degrés répond aux bâtiments environnants moins hauts et mène à un étage des machines exprimé à l'extérieur par une courbe segmentée. Une tour rectiligne s'achève par un sommet biseauté se dresse sur cette base.

Le vestibule intérieur est grandiose. Le critique Paul Goldberger écrit : « Il figure parmi les meilleurs espaces publics créés dans cette ville au cours des dix dernières années. C'est un genre de salle de bal moderniste ».

ADRESSE 1585 Broadway
ARCHITECTES ASSOCIÉS Emery Roth & Sons
BUREAU D'ÉTUDES The Office of Irwin G Cantor
MÉTRO 1/9 vers 50th Street ; B, F vers 47-50th Street Rockefeller Center ; D, E vers 7th Avenue ; N, R vers 49th Street
AUTOBUS M10, M107
ACCÈS libre dans le vestibule

Gwathmey Siegel & Associates Architects 1990

Gwathmey Siegel & Associates Architects 1990

Worldwide Plaza

Le quartier à l'ouest de Times Square, délimité par West 30th et West 57th Streets, est appelé « Hell's Kitchen » (la cuisine de l'enfer). Cet ancien foyer du crime organisé aujourd'hui partiellement embourgeoisé devrait son surnom à une conversation entre deux officiers de police. Lors d'une intervention dans une bagarre de rue en été, l'un dit à l'autre : « Il fait une chaleur d'enfer ici ». L'autre répondit : « Il fait frais en enfer, ici c'est la cuisine de l'enfer ».

Worldwide Plaza, qui couvre la totalité d'un îlot, est installé sur le site de l'ancien Madison Square Garden. Ce complexe à usages multiples, composé d'une tour de bureaux de 47 étages, d'un ensemble de bâtiments résidentiels et d'une grande esplanade, a été conçu pour assurer la transition entre le secteur commercial dense à l'est et celui de Clinton, essentiellement résidentiel, à l'ouest (rebaptisé du nom de l'actuel président). « L'emblème du gratte-ciel et non la tour » a inspiré l'architecte-concepteur David Childs qui compare sa tour de bureaux (située à deux pâtés de maisons à l'ouest du Rockefeller Center) au « chef des tambours de l'orchestre Rockefeller ».

La base de pierre et le fût vertical de brique aux fenêtres transparentes qui la surmonte sont difficiles à concilier visuellement comme ne faisant qu'un. La somptueuse entrée circulaire dirigeant le public vers une allée interne elliptique faisant tout le tour de l'édifice est toutefois une belle réussite contribuant au dynamisme du projet. La couronne pyramidale revêtue de cuivre est incrustée d'un prisme de verre qui brille la nuit comme un phare.

ADRESSE Eighth à Ninth Avenues, West 49th à West 50th Streets
MÉTRO 1/9, C, E vers 50th Street
AUTOBUS M10, M50, M104
ACCÈS libre dans le vestibule, le hall et l'esplanade extérieure

Skidmore, Owings & Merrill 1989

Skidmore, Owings & Merrill 1989

The Equitable Center

Les architectes et les critiques sont en sérieux désaccord sur l'Equitable Center. Accusée d'être fade, trapue et mal proportionnée, la façade rose interminable est étonnamment attirante et tactile. L'échelle énorme du bâtiment est exacerbée par sa situation en retrait sur la rue – trois mètres supplémentaires de trottoir en granite orange accentuent l'illusion d'un bâtonnet ridiculement grand de sucre d'orge à rayures. Des retraits de 4,20 m aux 12e, 34e et 50e étages n'atténuent pas la masse des volumes.

The Equitable Life Assurance Society a commandé un des premiers gratte-ciel de Manhattan en 1868. Conçu par Georges B Post, le bâtiment du 120 Broadway fut détruit par un incendie et remplacé par une construction énorme. L'édifice d'Ernest R Graham, dépourvu de retraits, dont les volumes étaient répartis avec une lourdeur extrême, provoqua une telle indignation que l'on institua des règlements sur le rapport site/surface au sol et sur les décrochements.

Les œuvres d'art que le nouveau site abrite offrent au public un plaisir extrême. En entrant par un porche imposant (repris sur le sommet à l'extérieur de la tour) dans un atrium de cinq étages, le visiteur a le plaisir d'être écrasé par une œuvre riante de Roy Lichtenstein, *Peinture murale au coup de pinceau bleu*. Cette œuvre délicieusement vigoureuse est contrebalancée par le *Mur aux sièges de marbre avec lumières d'onyx* de Scott Burton, merveilleusement calme. Ce sont de gros morceaux rutilants de marbre abricot, crème et brun, qui reposent sur les angles d'un banc semi-circulaire en marbre de 12 mètres.

ADRESSE 787 Seventh Avenue entre West 51st et West 52nd Streets
MÉTRO N, R vers 49th Street ; 1/9 vers 50th Street ; B, D, F, Q vers 47th & 50th Street Rockefeller Center
AUTOBUS M6, M7, M10, M31, M57, M104
ACCÈS libre dans le vestibule

Edward Larrabee Barnes Associates 1986

Edward Larrabee Barnes Associates 1986

750 Seventh Avenue

Ce spectacle surréaliste à la lisière même du quartier des théâtres de Times Square est une tour d'acier dont l'antenne courte et trapue au sommet lui donne l'allure d'un gadget gigantesque – peut-être un énorme téléphone portatif vertical. Le POS local exigeait une enveloppe à degrés progressifs et la forme hélicoïdale devait, dans l'esprit de Roche, être plus dynamique qu'une série de caisses rectilignes empilées. Ce n'est pas une réussite.

Ce qui accentue l'image étrange du projet, c'est son revêtement de vitres argentées. Un quadrillage de verre plaqué de céramique exprime l'horizontalité et un verre réfléchissant gris foncé exprime la verticalité ; ce qui donne au 750 Seventh Avenue une contexture étrange.

ADRESSE 750 Seventh Avenue
BUREAU D'ÉTUDES Weiskopf & Pickworth
COÛT $ 45 millions
SUPERFICIE 49 000 m²
MÉTRO 1/9 vers 50th Street ; B, F vers 47th-50th Street Rockefeller Center ; D, E vers 7th Avenue ; vers N, R vers 49th Street
AUTOBUS M10, M107
ACCÈS libre dans le vestibule

Kevin Roche John Dinkeloo and Associates 1991

Kevin Roche John Dinkeloo and Associates 1991

Le 1675 Broadway est une tour de bureaux de Manhattan conçue en premier lieu pour des considérations immobilières. Il fut érigé tout à la fin de la grande vague de construction des années 1980, quand le quartier de Times Square était une véritable aubaine pour les promoteurs à qui les urbanistes offraient des primes motivantes pour construire ici, dans l'espoir de décongestionner le centre de Manhattan.

Les locataires pressentis pour la tour, des compagnies de droit des entreprises, ont partiellement inspiré son enveloppe car une pléthore de partenaires réclamait la création de nombreux bureaux d'angle. Mais le plus grand défi du projet était comment augmenter le volume. Les promoteurs, Rudin Management, voulaient davantage de mètres carrés et de plus vastes plaques de plancher que le site ne pouvait en recevoir. La solution ingénieuse a été d'acheter les droits du gabarit voisin sur le Broadway Theater contigu.

Cet achat a permis de construire la tour de 35 étages avec un porte-à-faux de 13,50 m au-dessus du théâtre qui a considérablement augmenté la surface à louer. Le théâtre est un bâtiment historique datant de 1924 qu'on ne peut ni toucher ni même effleurer. Le porte-à-faux le respecte totalement. Les deux constructions distinctes – tour de bureaux et théâtre – s'harmonisent toutefois sur le plan visuel. Le théâtre a reçu une marquise et une façade nouvelles et on a réaménagé le guichet, le vestibule et le salon. À part les matinées du mercredi, il a continué à fonctionner et a présenté *Les Misérables* pendant toute la durée des travaux.

Six fermes de structure nord-sud surplombent le théâtre. Quatre se prolongent jusqu'au côté sud du bâtiment en traversant le noyau de la tour de bureaux qui loge les ascenseurs pour équilibrer le poids du côté en porte-à-faux. Les fermes très épaisses reposant sur des supports rectangulaires d'acier presque massif de 80 x 65 cm, pèsent jusqu'à 200

Fox & Fowle Architects 1989

tonnes et certaines soutiennent 2976 kg/m². Comme rien ne devait reposer sur le théâtre, même temporairement, toutes les pièces des fermes ont été mises en place en les soulevant à la grue.

Bien que cette ossature soit dissimulée par un mur-rideau, l'édifice semble lourd. Une combinaison sophistiquée de granite flammé et poli n'allège pas l'organisation sombre des volumes. Les multiples décrochements et les fenêtres en retrait ajoutent un élément de verticalité mais l'effet d'ensemble est malheureusement monolithique et déplaisant.

Theater District et Garment District

ADRESSE 1675 Broadway
MAÎTRE D'OUVRAGE The Rudin Management Co
BUREAU D'ÉTUDES James Ruderman
SUPERFICIE 70 440 m²
MÉTRO 1/9 vers 50th Street ; D, E vers 7th Avenue ; B, F vers 47th & 50th Street Rockefeller Center ; N, R vers 49th Street
AUTOBUS M10, M107
ACCÈS libre dans le vestibule

Fox & Fowle Architects 1989

Fox & Fowle Architects 1989

Terne et laid, ce gratte-ciel à usage mixte élevé très rapidement dépare l'horizon. Helmut Jahn, un architecte de Chicago, a conçu plusieurs gratte-ciel à Manhattan et malheureusement, New York semble avoir hérité de ses créations les moins élégantes. Un monolithe de 69 étages (250 m de hauteur) est surmonté d'un dôme rappelant vaguement le dôme mauresque qui coiffe le City Center Theater contigu. Les 23 étages inférieurs sont des bureaux et les étages supérieurs des appartements de luxe. Deux entrées aux extrémités opposées relient West 56th et West 57th Streets par un passage piétonnier à tourelles. Avec ses volumes à l'organisation maladroite, la façade très complexe de CitySpire semble avoir été conçue trop rapidement. La forme tripartite a été dictée en partie par le POS mais ce n'est pas une excuse.

L'ossature complexe a été surnommée « mur biseauté/cylindre ouvert » par l'ingénieur de structure. Comme il était impossible d'inventer un quadrillage fixe des colonnes pour la configuration irrégulière des étages résidentiels, on a mis en œuvre un jeu de neuf ossatures différentes. La cage d'ascenseur centrale (un tube) est reliée aux colonnes extérieures par l'intermédiaire de murs biseautés mobiles disposés entre les unités d'habitations. Des poutres accouplées remplacent occasionnellement ces murs de grandeur hauteur. Une entretoise à diagonales multiples renforce encore la construction par des panneaux rectangulaires de béton échelonnés d'un étage à l'autre. Au sommet du bâtiment – étages 63 à 69 – une tour octogonale séparée est le point culminant des décrochements qui se présentent sur toute l'élévation du bâtiment.

ADRESSE 150 West 56th Street jusqu'à West 57th Street
BUREAU D'ÉTUDES Skidmore, Owings & Merrill
MÉTRO B, N, Q, R vers 57th Street ; D, E vers 7th Avenue
AUTOBUS M5, M6, M7, M30, M31, M57
ACCÈS libre dans le vestibule

Murphy/Jahn 1989

Murphy/Jahn 1989

Carnegie Hall Tower

Un curieux quatuor de bâtiments s'élève sur West 57th Street entre Sixth et Seventh Avenues. Élancée et dorée, Carnegie Hall Tower est presque contiguë à l'angle tranchant des nouvelles Metropolitan Towers, d'un noir brillant, que l'on surnomme souvent « le bâtiment Darth Vader » et qui sont la quintessence de la superficialité tapageuse des années 1980. Le minuscule Russian Tea Room, coincé entre les deux, n'est plus un restaurant réputé mais il dégage toujours le charme d'antan. On voit CitySpire (voir page 148), construction hâtive ajoutée au quartier par Helmut Jahn, surplombant West 56th Street. Une discussion semble engagée entre les trois gratte-ciel : CitySpire se vante devant deux amis très différents et le Russian Tea Room s'efforce d'écouter aux portes. Les sévères Metropolitan Towers contrastent nettement avec la tour de brique de Pelli aux chaudes couleurs des Cotswolds.

Deuxième bâtiment de béton de New York City par la hauteur, Carnegie Hall Tower est une entreprise commerciale qui se développe en utilisant les droits du gabarit voisin du Carnegie Hall contigu. Pelli s'est efforcé de rattacher son nouvel édifice au symbole culturel qu'est le music-hall néo-Renaissance. La tour de 60 étages prolonge le répertoire et la forme de son illustre voisin en donnant une nouvelle interprétation des volumes, des coloris et de la décoration du music-hall. Pelli compare son poste d'architecte travaillant dans le cadre de la ville à celui de l'assistant d'un peintre célèbre comme Raphaël ; il estime que son rôle est de renforcer le tableau dans sa totalité, de maintenir la cohérence du tout sans exprimer sa propre créativité. Pour Pelli, contextuel veut dire mimétique, sensible et bien choisi.

La tour se compose de deux blocs imbriqués de tailles différentes. L'un est en retrait de 9,30 m par rapport à la rue pour compléter les cinq étages du Russian Tea Room. Les élévations sont organisées en trois parties –

Cesar Pelli & Associates 1991

Theater District et Garment District

Cesar Pelli & Associates 1991

deux angles compacts et un champ central – unies tous les six étages par de larges bandes de couleur faisant écho à la corniche du music-hall. Une frise sombre sous des ailettes métalliques surmonte la tour la plus haute ainsi que le bâtiment plus bas.

Carnegie Hall Tower est élégante et modeste. C'est un tube de structure en béton coulé en place et revêtu de brique, dont la façade s'illumine de nuances différentes en fonction de l'heure du jour. Trois couleurs complémentaires ont été utilisées pour créer les motifs des champs centraux. Il a fallu essayer des milliers de variantes pour parvenir à cette solution.

ADRESSE 152 West 57th Street
MAÎTRE D'OUVRAGE Rockrose Development Corporation
ARCHITECTE-EXPERT Brennan Beer Gorman
BUREAU D'ÉTUDES Robert Rosenwasser Associates
SUPERFICIE 49 000 m²
MÉTRO B, N, Q, R vers 57th Street; D, E vers 7th Avenue
AUTOBUS M6, M7, M31, M57
ACCÈS libre dans le vestibule

Cesar Pelli & Associates 1991

Theater District et Garment District

Cesar Pelli & Associates 1991

Midtown

Sur le plan de l'urbanisme, New York City se développe par petits secteurs. Un bâtiment ajouté çà et là est loin d'être aussi révélateur que la réhabilitation, l'embourgeoisement et le réaménagement du domaine public de la ville, notamment la planification de ses espaces de plein air.

Situé en plein cœur du centre de Manhattan, Bryant Park a connu récemment un remaniement de plan qui a déclenché des changements considérables dans tout le quartier. Coïncidant avec la restauration de la New York Public Library (bibliothèque publique de New York), un des trésors architecturaux de Manhattan, ce projet prouve bien qu'une conception excellente peut susciter des changements sociaux positifs.

Célèbre sous le nom de « Needle Park » dans les années 1970 et 1980, Bryant Park a été soigneusement évité par tous les New-Yorkais respectueux des lois. Aujourd'hui, après sa rénovation, on estime que le parc reçoit 10000 visiteurs par jour. Créé en 1846, il fut remanié en 1934 par Robert Moses, le Commissaire aux parcs. Son esthétique néoclassique, conçue pour s'harmoniser à la bibliothèque contiguë, a créé un espace clos, surélevé et donc isolé.

Les principaux changements apportés au plan directeur par Davis, Brody & Associates dégagent le parc en en facilitant la visibilité et l'accès. La haute balustrade de pierre et les murs élevés ont été abaissés ou supprimés et les haies qui entouraient le parc ont été éliminées. La pelouse a été replantée et Lynden B Miller a créé des plates-bandes de plantes vivaces de 90 m de long et 3,60 m de profondeur qui sont une source de beauté tout au long de l'année. Deux cents platanes bordent les allées de gravier. Deux cents chaises pliantes, vertes, en bois et métal, sont mises gracieusement à la disposition du public. Curieusement, il en disparaît très peu.

En 1995, on a achevé les buvettes et un des deux restaurants à l'intérieur du parc conçus par Hardy Holzman Pfeiffer Associates. Quatre buvettes

Davis, Brody & Ass./Hardy Holzman Pfeiffer Ass. 1992-1995

Davis, Brody & Ass./Hardy Holzman Pfeiffer Ass. 1992-1995

vert foncé se trouvent aux angles du parc et deux emplacements symétriques pour les pavillons des restaurants sont situés sur la terrasse ouest de la bibliothèque.

Le restaurant achevé, Bryant Park Grill, a une superficie de 490 m² entourée d'un pavillon de treillage. Conçue comme une construction à l'intérieur d'une construction, l'enveloppe extérieure est en aluminium étiré et en bois incrusté de plantes grimpantes et de fleurs. Elle recouvre un revêtement intérieur de verre et d'acier doté de portes qui permettent d'ouvrir entièrement le pavillon aux éléments.

Bryant Park s'étend sur les piles de livres souterraines de la New York Public Library de granite et de marbre. Même les amateurs d'architecture contemporaine tournés vers l'avenir doivent faire le tour de ce noble édifice ancien. Astor Hall, l'entrée principale sur Fifth Avenue (après être passé devant les merveilleux lions de pierre), est une des rares salles de pierre de telles dimensions dans le monde. Conçu par Carrere & Hastings en 1911, ce délice de style Beaux-Arts a récemment subi une rénovation en plusieurs tranches d'un montant de $ 20 millions, réalisée par Davis, Brody & Associates avec un soin et une minutie extrêmes.

ADRESSE West 40th à West 42nd Street
ARCHITECTES PAYSAGISTES Lynden B Miller et Hanna/Olin
ARCHITECTE ASSOCIÉ, RÉNOVATION DE LA BIBLIOTHÈQUE Giorgio Cavaglieri pour la Gottesman Gallery
BUREAU D'ÉTUDES James Wiesenfeld & Associates
MÉTRO 1/9, 2, 3, N, R, S vers 42nd Street Times Square ; 7 vers 5th Avenue ; B, D, F, Q vers 42nd Street
AUTOBUS M5, M6, M7, M42, M104
ACCÈS libre

Davis, Brody & Ass./Hardy Holzman Pfeiffer Ass. 1992-1995

Davis, Brody & Ass./Hardy Holzman Pfeiffer Ass. 1992-1995

Mission permanente de l'Inde auprès des Nations-Unies

Charles Correa, un architecte indien en vue, s'intéresse à l'iconographie culturelle depuis longtemps. La plupart de ses bâtiments évoquent durablement les idées spatiales de l'Inde ancienne et ce projet discret intègre ces notions très subtilement. La couleur seule révèle qu'un point de vue nouveau a été introduit dans le paysage urbain dense de Manhattan : la base de granite rouge surmontée d'un mur-rideau d'aluminium rouge-canyon évoque l'architecture de grès rouge de l'Inde du nord.

Le site est un pâté de maisons étroit et traversant, large de 12,60 m sur East 43rd Street et de 7,20 m sur East 44th Street. Dans cet édifice de 28 étages, les quatre étages inférieurs abritent l'administration de la Chancellerie du gouvernement indien. Au-dessus se trouvent les logements des employés.

Le sommet du bâtiment est intrigant. Correa a conçu un très haut porche de villa sur le toit qui évoque le *barsati* indien utilisé pour dormir à la belle étoile. Ce merveilleux découpage géométrique dans les images du toit de l'édifice n'est malheureusement pas très visible du niveau de la rue. Ce qui est bien apparent, c'est l'imposant portail monolithique de bronze qui confirme la réputation de Correa comme un architecte qui s'intéresse non seulement à la signification de l'ancien mais aussi au pouvoir de l'autorité.

ADRESSE 235 East 43rd Street
ARCHITECTE-EXPERT Bond Ryder and Associates
BUREAU D'ÉTUDES Tor, Smollen, Calini & Anastos
SUPERFICIE 6130 m²
MÉTRO 4, 5, 6, 7 ou S vers Grand Central ; 6 vers 33rd Street ou 51st Street
AUTOBUS M1, M2, M3, M4, M42
ACCÈS ne se visite pas

Midtown

Charles Correa Architects/Planners 1993

Midtown

Charles Correa Architects/Planners 1993

The Rainbow Room

Un ascenseur privé à briser les tympans vous fait monter directement au 65e étage où se trouve cet étincelant restaurant-dancing. Des hôtesses à la *Star Trek* vous accueillent à la sortie de l'ascenseur au sol de marbre à damiers vigoureux. Peut-être flotte-t-on dans l'espace intersidéral sur le *Starship Enterprise* ? En réalité, on flotte au sommet du Rockefeller Center.

Le Rainbow Room d'origine fondé en 1934 était un club pour dîners officiels. Reconstruit dans un style Art déco rajeuni que l'architecte Hugh Hardy qualifie de « moderne américain », il présente des espaces rénovés éblouissants, grandioses, et d'une élégance toute new-yorkaise. La rénovation a été abordée comme une interprétation et non comme une science, l'objectif numéro un de Hardy étant de créer un lieu magique et mythique.

Le site abrite plusieurs lieux de distraction privés ou publics. Les deux espaces principaux sont le Rainbow Room et le Rainbow Promenade – un restaurant et un bar de 120 places assises disposées en gradins. On peut faire tout le tour du 65e étage et jouir de vues inégalées sur Manhattan. Le Rainbow Room doit son nom au dôme très élevé dont la couleur change régulièrement surmontant une piste de danse de 9,60 m de diamètre tournant à la vitesse de 30 cm par minute pour offrir aux danseurs un panorama constamment renouvelé. Les murs aubergine, le chêne et l'érable, le cristal autrichien, le bronze et les motifs géométriques créent un ensemble étincelant.

ADRESSE 65e étage, 30 Rockefeller Plaza (Fifth Avenue)
MAÎTRE D'OUVRAGE Rockefeller Center Management Corporation
BUREAU D'ÉTUDES Edwards & Hjorth
COÛT $ 20 millions   SUPERFICIE 4600 m²
MÉTRO B, D, F, Q vers 47th & 50th Street Rockefeller Center ; E vers 5th Avenue   AUTOBUS M1, M2, M3, M4, M27, M50, Q32
ACCÈS libre

Hardy Holzman Pfeiffer Associates 1987

Hardy Holzman Pfeiffer Associates 1987

750 Lexington Avenue

Helmut Jahn est un des architectes les plus prolifiques de la décennie – peut-être même trop prolifique. Il est certain que le 750 Lexington Avenue est l'antithèse de l'élégance réfléchie : maladroit, grossier et gauche, il prouve bien que la qualité devrait l'emporter sur la quantité.

Suite de volumes géométriques, le bâtiment se compose essentiellement d'une base rectangulaire imbriquée dans un octogone qui soutient une série de cylindres gradués. Ces neuf cylindres épais au départ et assez petits à l'arrivée, surmontés d'une boule flottante en équilibre, ressemblent à un gâteau sophistiqué. La composition est statique comme peut l'être un gratte-ciel de 31 étages, avec un placage de miroirs bleus qui interdit tout espoir de distinction.

Park Avenue Tower au 65 East 55th Street est un projet de Jahn légèrement plus réussi sur le plan esthétique. Terminé en 1987, c'est un obélisque fuselé de 36 étages qui se termine à la manière traditionnelle par une pyramide à quatre côtés, ouverte et éclairée. Ce qui est troublant ici, ce n'est pas tant l'organisation des volumes et la forme, comme au 750 Lexington Avenue, mais la petite esplanade (600 m²) sur laquelle l'édifice est posé. Ce petit espace qui interrompt fâcheusement la façade sur rue donne au site une certaine maladresse.

ADRESSE 750 Lexington Avenue
MAÎTRE D'OUVRAGE Cohen Brothers
SUPERFICIE 34 000 m²
MÉTRO 4, 5, 6 vers 59th Street ; N, R vers Lexington Avenue
AUTOBUS M31, M57, M101, M102, M103
ACCÈS libre dans le vestibule

Midtown

Murphy/Jahn 1989

Murphy/Jahn 1989

Linda Dresner Jil Sander

Ce magasin de Park Avenue est pratiquement aussi voluptueux et soigné que peut l'être une maison de couture. C'est un minimalisme somptueux dont émane une sensibilité à la texture et aux matériaux.

Des proportions classiques, des configurations spatiales simples et l'usage de matériaux naturels coûteux comme le calcaire, le marbre blanc, le granite noir, l'ébène de Macassar et l'argentan créent un environnement luxueux. Gabellini aspire à une interaction sculpturale entre la pesanteur et un sens d'apesanteur, la lumière étant considérée comme faisant partie de l'architecture. Une boîte noire géante placée en plein centre est visible pratiquement de partout, y compris de l'extérieur. Cet objet monolithique fonctionnel (qui sert de réserve) ancre l'intérieur éthéré. Tel un cube de Rubik contemporain, cette boîte sert de base à un jeu de tons noirs et blancs qui retentit dans tout le magasin.

C'est un délice de voir la volonté architecturale présenter les mêmes qualités que les vêtements exposés : élégance, simplicité de la ligne et coût.

ADRESSE 484 Park Avenue
COÛT $ 600 000
SUPERFICIE 370 m^2
MÉTRO 4, 5, 6 vers 59th Street ; N, R vers Lexington Avenue
AUTOBUS M1, M2, M3, M4, M101, M102, M103, Q32
ACCÈS libre

Midtown

Gabellini Associates 1994

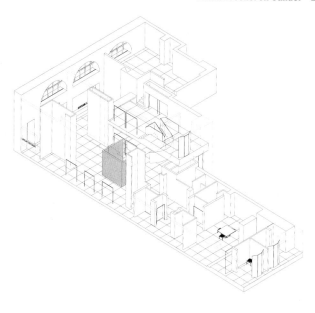

Midtown

Gabellini Associates 1994

Musée de la radio et de la télévision

Conçu de l'extérieur vers l'intérieur, c'est un des projets les plus contextuels de Johnson. L'architecte décrit lui-même ce temple de pierre blanche à la télévision comme une œuvre de style gothique. Les critiques ont comparé sa forme bipartite rectiligne à une réplique de radio ancienne. Je ne pense pas que Johnson ait eu cette intention.

Le bâtiment est destiné à glorifier les nouveaux médias et on peut y passer des heures à écouter ou regarder des enregistrements, des films et des cassettes vidéo de programmes anciens et nouveaux de radio et de télévision.

Midtown

ADRESSE 23 West 52nd Street
MAÎTRE D'OUVRAGE William Paley
MÉTRO B, D, F, Q vers 47th-50th Rockefeller Center ; E vers 5th Avenue
AUTOBUS M1, M2, M3, M4, M27, M50, Q32
ACCÈS libre

John Burgee et Philip Johnson 1990

John Burgee et Philip Johnson 1990

Musée de l'artisanat américain

Un superbe escalier – sculpture organique tournante – tient lieu de circulation verticale, de centre d'intérêt à l'organisation et d'outil de commercialisation pour ce projet. Conçues comme une claque au postmodernisme, les marches blanches et simples serpentent à travers la façade du musée, ouvrant une voie verticale dans l'espace. Visibles de la rue à travers le large mur-rideau en verre du bâtiment, elles exercent une séduction magique, attirant le passant à l'intérieur ; tout aussi réussies de l'intérieur, elles offrent une vue merveilleuse de la rue bordée d'arbres à travers le même mur-rideau tout en procurant de fantastiques perspectives sur les œuvres à l'intérieur. Chef-d'œuvre digne d'être exposé en permanence, l'escalier s'est épanoui grâce à l'expérimentation sur place et non sur la planche à dessin : on a tracé sur place une esquisse à main levée et ébauché des longueurs du parapet ; après affinage dans l'atelier d'un sculpteur sur bois, le lissage et les finitions ont aussi été exécutés sur place.

Le musée occupe quatre étages d'une tour de 35 étages en granite rose. Le sous-sol a été creusé afin d'installer une mezzanine semi-enterrée en contournant habilement le POS régissant les rapports de surface au sol. Dans les cages d'escalier inférieures, les marches sinueuses s'enroulent en niches idéales pour les expositions intimes.

La souplesse joue un rôle important. Des grilles de plafond novatrices en bois, incrustées de rails et de roulettes, permettent de réorganiser les objets exposés suspendus. L'appareillage électrique est dissimulé au-dessus de ces modules. Les sols d'érable qui reflètent ce quadrillage du plafond créent un environnement cohérent.

Midtown

ADRESSE 44 West 53rd Street
BUREAU D'ÉTUDES Office of Irwin G Cantor
MÉTRO B, D, F, Q vers 47th & 50th Street Rockefeller Center ; E vers 5th Avenue AUTOBUS M1, M2, M3, M4, M27, M50, ACCÈS libre

Fox & Fowle Architects 1987

Fox & Fowle Architects 1987

Midtown

Immeuble Sony

« À New York, un bâtiment a besoin d'un bon sommet et d'un bon pied » m'a dit Philip Johnson lors d'une récente discussion sur son œuvre à Manhattan. Quand on est assis dans le bureau de Johnson au Lipstick Building qu'il a conçu en 1986 (voir page 190), la vue sur le sommet de l'ancien AT & T Building (actuel immeuble Sony) confirme cette affirmation. Cet immeuble possède certainement un des plus fameux sommets et pieds vides de New York. Chacune des composantes de la composition tripartite revêtue de granite rose – base, centre et sommet – est monumentale. La loggia de six étages a une arche voûtée d'arêtes de 19,50 m de haut ; le lourd fronton de couronnement permet d'identifier immédiatement l'édifice. Initialement controversé, cet édifice lancé sur le marché à grand renfort de publicité est devenu non seulement un emblème du centre de Manhattan mais aussi un symbole historique de la naissance du classicisme postmoderne américain.

Les bâtiments de Johnson reçoivent toujours des surnoms et celui-ci n'échappe pas à la règle. On l'appelle affectueusement le « bâtiment Chippendale » à cause de son sommet : un fronton géant percé d'un œil-de-bœuf rappelle la décoration des chaises du XVIIe siècle dessinées par Thomas Chippendale. Le projet a été sévèrement critiqué comme étant pompeux, corporatif et insolent. J'aime assez le sommet : c'est une exploration élégante des vides et des pleins et sa facilité d'identification rend accueillante la ligne des toits agitée de Manhattan.

AT & T, maître de l'ouvrage et commandataire, a quitté les lieux au début des années 1990 et le bâtiment a été vendu à une société japonaise, la Sony Corporation. Gwathmey Siegel & Associates furent embauchés pour reconfigurer l'espace de manière à accueillir 1600 employés au lieu des 600 d'AT & T. Les quatre murs ont été vidés et l'intérieur refait. Sony souhaitait une image beaucoup moins formelle et voulait que la base du

Midtown

Philip Johnson/John Burgee 1984 ; Gwathmey Siegel & Associates 1994

Philip Johnson/John Burgee 1984; Gwathmey Siegel & Associates 1994

bâtiment soit plus accueillante pour les clients. Les nouveaux architectes ont négocié avec la ville pour échanger une prime de surface au sol contre la reconfiguration de la zone publique au rez-de-chaussée.

Les passages néo-Renaissance de 18 m qui flanquent les côtés nord et sud du bâtiment d'origine ont été fermés par des fenêtres en saillie à châssis d'aluminium et équipés de climatisation, créant une galerie et des boutiques. On a installé un kiosque à journaux, une intendance, un guichet et le Sony Wonder Museum. Le verre noir inséré dans les renfoncements cintrés a fragmenté les masses des murs existants mais on a conservé la hauteur sous plafond. Les étroites arcades extérieures sur East 55th et 56th Streets ont été conservées telles quelles car elles constituent un passage couvert très apprécié pendant les mois d'hiver.

ADRESSE 550 Madison Avenue
BUREAU D'ÉTUDES Thornton Thomasetti
SUPERFICIE 18 600 m²
MÉTRO B, Q vers 57th Street ; E, F, N, R vers 5th Avenue
AUTOBUS M1, M2, M3, M4, M31, M57
ACCÈS libre dans la galerie

Midtown

Philip Johnson/John Burgee 1984 ; Gwathmey Siegel & Associates 1994

Philip Johnson/John Burgee 1984; Gwathmey Siegel & Associates 1994

Étalage de publicité pour la consommation ostentatoire et immortalisation mégalomane de tout ce qu'incarnaient Ivana et Donald Trump à l'âge d'or figé de sa construction, ce gratte-ciel de 68 étages est un emblème incontestable des années 1980. L'environnement ampoulé du bâtiment, dans le style de *Dynasty*, inspire toujours d'innombrables touristes qui filment leurs expériences commerciales.

À l'intérieur, les boutiques créent un royaume magique et séduisant, miroitant d'un faste implacablement éblouissant. Partout, ce sont des glaces roses, des finitions en bronze poli et la lettre T majuscule. L'entrée de grande hauteur sous plafond conduit, en traversant une galerie large de 9 m bordée d'arbres, à un atrium de six étages – un espace à éclairage zénithal entouré de magasins, boutiques et commerces spécialisés. Le mur de fond original en marbre italien rose, pêche et orange qui entoure les six étages à balcons sert de support à une cascade illuminée qui se déverse dans un grand hall-jardin, à un niveau sous la rue.

La chaleur qui règne à l'intérieur de ce temple du luxe n'a pas été correctement répercutée sur l'extérieur. C'est le plus haut bâtiment de béton de New York (200 m) dont la façade soit une suite de renfoncements noirs verticaux en dent de scie. Au-dessus de l'atrium, il y a 13 étages de bureaux et encore plus haut 263 appartements de luxe en copropriété, habités, dit-on, par Steven Spielberg, Michael Jackson, Sophia Loren, le Sultan de Brunei et Sir Andrew Lloyd Webber…

ADRESSE 725 Fifth Avenue
MÉTRO B, Q vers 57th Street ; E, F, N, R vers 5th Avenue
AUTOBUS M1, M2, M3, M4, M31, M57
ACCÈS libre dans l'atrium et aux étages de boutiques

Midtown

Der Scutt/Swanke Hayden Connell Architects 1983

Der Scutt/Swanke Hayden Connell Architects 1983

OMO Norma Kamali

Des bannières en or lamé ondulent dans la brise sur la façade cubiste de ce magasin superbement conçu. On a de fortes chances de rencontrer une célébrité faisant ses achats : lors de ma dernière visite, la diva de Broadway Patti Lupone essayait des vestes lavande dans le paysage intérieur couleur de pierre.

D'un style roman contemporain, le magasin est une combinaison de Carlo Scarpa, théâtre et éclat. Dans la vitrine, des statues de zinc des quatre saisons vêtues de tuniques classiques posent avec timidité sur le ciment granité. Les quatre murs de l'hôtel ont été vidés et l'intérieur refait selon les instructions du maître d'ouvrage qui voulait des formes monolithiques puissantes renfermant une suite d'espaces intimes pour susciter un sentiment permanent de découverte. Les vêtements sont présentés par gamme de prix dans des espaces créés dans les niveaux, et la circulation à sens giratoire longe des bustes classiques habilement disposés, évoquant une promenade dans les ruines antiques.

Les vêtements sensuels présentés, censés être interprétés comme une série d'objets intemporels, ont pour toile de fond les matières premières : murs de stuc granité et sols revêtus d'enduit en mortier de ciment, lissés à la truelle. Différents matériaux délimitent différents espaces : un sol carrelé imite une piscine au rayon des costumes de bain ; les tenues de soirée sont encadrées par une entrée fantaisiste en haut de marches d'ardoise. Les comptoirs d'exposition et les appareils d'éclairage ont été fabriqués artisanalement.

ADRESSE 11 West 56th Street
ARCHITECTES ASSOCIÉS Peter Michael Marino Architects
BUREAU D'ÉTUDES Robert Silman Associates
SUPERFICIE 930 m²
MÉTRO B, Q vers 57th Street ; E, F, N, R vers 5th Avenue
AUTOBUS M1, M2, M3, M4, M5, M6, M7, M31, M57
ACCÈS libre

Midtown

Rothzeid Kaiserman Thomson & Bee 1984

Rothzeid Kaiserman Thomson & Bee 1984

Henri Bendel

Que d'élégance! Ce somptueux magasin pour femme est la quintessence du luxe discret. Avec à leur actif Barneys au sud de Manhattan – dédié à la prétention des années 1980, sur Seventh Avenue et West 17th Street – et la rénovation de Fenwicks sur Bond Street à Londres, les architectes ont créé un nouveau bâtiment de cinq étages qui répond à l'échelle et à l'élégance architecturale des bâtiments historiques voisins restaurés, Rizzoli et Coty. La façade tripartite en calcaire couleur de pain grillé et en granite blanc, aux fenêtres à deux battants en bois, est très francisée, en hommage à la verrière raffinée haute de trois étages en verre gravé de plantes grimpantes sinueuses et de coquelicots qui domine la façade de Coty, seul exemple connu de verre architectural par le maître français René Lalique. Chacun des trois édifices présente une devanture en acier et bronze poli.

On entre par de lourdes portes de cuivre dans un majestueux atrium central de quatre étages en marbre et en calcaire dont le style est inspiré des maisons de couture parisiennes des années 1920. Deux escaliers elliptiques sont entourés de merveilleuses galeries de boutiques spécialisées. Un œil-de-bœuf fait office de kaléidoscope réfléchissant. La juxtaposition des étalages colorés géniaux et des beiges, noirs et transparences du bâtiment, irréprochablement corrects, amplifie le sentiment de cherté. On peut approcher de près la verrière de Lalique en se mêlant aux mannequins vêtus de Chanel.

ADRESSE 712 Fifth Avenue et 56th Street
BUREAU D'ÉTUDES Weiskopf & Pickworth
SUPERFICIE 7400 m²
MÉTRO B, Q vers 57th Street; E, F, N, R vers 5th Avenue
AUTOBUS M1, M2, M3, M4, M5, M31, M57, Q32
ACCÈS libre

Midtown

Beyer Blinder Belle 1991

Beyer Blinder Belle 1991

Four Seasons Hotel

« Conçu pour perpétuer la condition de splendeur d'autrefois quand aller à l'hôtel était un événement, le Four Seasons ne met pas l'accent sur l'efficacité courante... mais célèbre l'expérience d'un hôtel de luxe ». C'est ce que dit la publicité de ce gigantesque hôtel-décor de théâtre. L'extérieur de ce monstre est vulgaire, démesuré et d'une majesté excessive mais l'épouvantable façade principale est compensée par la dignité de l'intérieur.

Hôtel le plus élevé de Manhattan, le Four Seasons mesure 205 m de haut avec ses 51 étages. Son site de 3 hectares est un assemblage traversant de trois parcelles de terrain contiguës situées dans deux secteurs différents. Les changements de POS n'ayant pas été approuvés, les deux façades sur rue ont dû se plier à deux séries de directives différentes.

Le trottoir devant l'entrée principale sur East 57th Street s'orne d'un motif en étoile qui répond à la marquise d'entrée tarabiscotée en porte-à-faux, en forme de pétales de verre et d'acier. L'organisation des volumes dessine une série de décrochements marqués par des lanternes de 3,60 m à chaque décrochement. Les fenêtres complexes et leurs rebords de pierre sculpturaux veulent rendre une impression d'habitation qui différencie l'hôtel des tours de bureaux voisines.

L'architecture a été conçue de l'intérieur vers l'extérieur. On est parvenu à une définition préliminaire des dimensions et la forme des chambres (environ 55 m2). Puis elles ont été assemblées en plaques de plancher qui ont été empilées en blocs de construction pour former une tour progressive au sein de l'enveloppe autorisée par le POS. C'est peut-être pourquoi l'intérieur est si réussi et l'extérieur catastrophique.

Le majestueux vestibule est un haut cube d'environ 9,6 m de côté et 11 m de haut. Accessible par une entrée large de 8,40 m, c'est le poir.t de mire d'un promenoir soigneusement conçu qui traverse les dimensions

Pel Cobb Freed & Partners 1993

Pel Cobb Freed & Partners 1993

héroïques d'un superbe théâtre urbain. Ce vestibule spectaculaire est bordé sur les deux côtés de salons de réception étagés.

Déjeuner à l'hôtel, c'est jouir d'un havre de paix : la gamme de matériaux uniformes – argentan, bronze oxydé et bois de hêtre danois – contrastant avec les murs de couleur miel en calcaire de Magny de Louvre (comme à l'extérieur) s'allie à un vaste espace géométrique pour créer une tranquillité très appréciée dans cette rue commerçante agitée.

ADRESSE 57 East 57th Street
ARCHITECTE ASSOCIÉ Frank Williams Associates
BUREAU D'ÉTUDES Robert Rosenwasser Associates
MAÎTRE D'OUVRAGE 57-57th Associates
SUPERFICIE 49 446 m²
MÉTRO 4, 5, 6 vers 59th Street ; E, F, N, R vers Lexington Avenue
AUTOBUS M1, M2, M3, M4, M31, M57
ACCÈS libre dans le vestibule et les restaurants

Midtown

Pel Cobb Freed & Partners 1993

Midtown

Pel Cobb Freed & Partners 1993

135 East 57th Street

Il est pratiquement impossible de ne pas remarquer ce bâtiment : c'est une tour concave de 31 étages placée en retrait du trottoir pour faire place à un tempietto massif de trois étages.

La tour elle-même se divise en deux volumes distincts. La façade qui donne sur 57th Street est plate et elle s'incurve à l'angle en dégageant le trottoir pour créer une esplanade circulaire. On est parfaitement conscient qu'il s'agit d'un angle.

Le POS et le programme ont imposé l'organisation des volumes. Les nombreux services disposent d'entrées séparées : un centre d'antiquités, un immeuble de bureaux et une série de maisons de ville à deux étages. La Place des Antiquaires, un important centre du commerce des antiquités à New York, est représentée par le tempietto. Les fontaines de marbre, le pavage de granite gris et la verdure semblent curieux, bien qu'agréables, à ce carrefour surpeuplé. L'entrée principale de la tour est située derrière l'esplanade, exactement dans l'axe du tempietto. Est-ce le vaste espace vide, l'échelle même du bâtiment ou la présence d'une folie de jardin en marbre en plein centre ville qui est si déconcertante ?

ADRESSE 135 East 57th Street
MAÎTRE D'OUVRAGE Madison Equities
SUPERFICIE 39 900 m²
MÉTRO 4, 5, 6 vers 59th Street ; E, F, N, R vers Lexington Avenue
AUTOBUS M1, M2, M3, M4, M31, M57
ACCÈS libre dans le vestibule

Midtown

Kohn Pedersen Fox Associates 1988

Kohn Pedersen Fox Associates 1988

Un élégant tabouret de bar en forme d'olive à apéritif semble une contradiction dans les termes. David Rockwell a pourtant réalisé des olives cocktail géantes farcies de piment, charmantes et sophistiquées, sur lesquelles planter son postérieur.

Le Monkey Bar d'origine inauguré en 1936 devait son nom au « monkey business » ou combines qui se produisent dans tous les bars du monde. Récemment remanié par Rockwell, le bar s'est agrandi d'un restaurant contigu.

Les fantastiques peintures murales de Charlie Vella sont le seul élément conservé du bar d'origine. Ces images de singes anthropomorphes éclaboussées sur un fond ocre délavé donnent le ton distingué de l'espace. Bien que le motif du singe soit omniprésent – des moulages de singe se balancent au milieu des appareils d'éclairage – le bar est étonnamment dépourvu d'astuces, comparé à d'autres projets à thème de Rockwell.

La palette est une combinaison riche de bleu cobalt, jaune et brun roux. Le bar est esbrouffeur, doucereux et mièvre jusqu'aux matériaux et aux finitions : cuir, velours, balustrades de bronze coulé et larmiers de corniche aux allures de bambou. Ne manquez pas les merveilleux écrans à décor de gratte-ciel stylisés dans les angles de la salle à manger.

ADRESSE Hotel Elysee, 60 East 54th Street
SUPERFICIE 293 m²
MÉTRO 6 vers 51st Street ; E, F vers 5th Avenue
AUTOBUS M1, M2, M3, M4, M31, M57, M101, M102, M103
ACCÈS libre

Midtown

Rockwell Group 1994

Rockwell Group 1994

885 Third Avenue (Lipstick Building)

Philip Johnson est connu dans le milieu des architectes pour ses relations étroites avec plusieurs promoteurs. Mais contrairement à de nombreux architectes blasés qui travaillent avec les promoteurs, Johnson a toujours accordé une grande importance à l'habileté de la conception et il a toujours mûrement réfléchi l'aspect extérieur de ses bâtiments. Manhattan est parsemée de plusieurs de ses œuvres merveilleuses. Saluée comme l'ancêtre du postmodernisme américain, la plus grande partie de sa production doit être qualifiée d'éclectique. Romantique, sculpturale et dynamique, son architecture a exercé un impact intéressant sur la ligne des toits de Manhattan.

Selon Johnson, les promoteurs de ce projet n'étaient pas convaincus que l'emplacement était idéal du point de vue de la commercialisation à Manhattan, c'est pourquoi une partie de ses instructions était de concevoir la forme la plus belle possible. Le résultat est une ellipse de verre et de granite brun de 36 étages, obtenue par trois niveaux imbriqués. Surnommée le « Lipstick Building » (bâtiment rouge à lèvres) à cause de sa ressemblance à une boîte de cosmétiques chic, la construction toute entière repose sur de minces colonnes jumelées qui entourent la base, permettant aux piétons de passer sous la séduisante forme incurvée.

ADRESSE 885 Third Avenue
MAÎTRE D'OUVRAGE Gerald D Hines
MÉTRO B, D, F, Q vers 47th-50th Rockefeller Center ; E vers 5th Avenue
AUTOBUS M1, M2, M3, M4, M27, M50, Q32
ACCÈS libre dans le vestibule et le restaurant du rez-de-chaussée

Midtown

John Burgee et Philip Johnson 1986

Bumble + Bumble

Des ventouses industrielles tiennent un robot collé à la vitrine de ce salon de coiffure dans le vent. Tendant ses membres de métal dans tous les sens, cette créature présente des photographies, des moniteurs vidéo et des objets d'art métalliques. Derrière, se trouve l'espace d'accueil en bois et en métal galvanisé. Ross Anderson a dit : « Le salon vous expose pendant que vous voyez simultanément les autres. Transparence, translucidité, opacité : espaces et objets sont révélés par les matériaux et les formes, suscitant l'anticipation. Des combinaisons inattendues d'éléments architecturaux et de matériaux répétés créent des liens donnant au salon sa cohérence. Les clients participant à leur propre transformation participent aussi à la nôtre ». Il est agréable d'être assis dans cet espace bleu et d'admirer les détails architecturaux : des tablettes de coiffage fabriquées à partir de comptoirs de béton coulé ; des éclairages et des miroirs tenus par des fixations métalliques ; des panneaux de fibre de verre montés sur des cadres d'acier. Les tablettes de coloration à l'étage sont conçues comme des malles de paquebot : les cadres d'acier terni et de contreplaqué d'érable se replient et se roulent pour libérer l'espace nécessaire aux séances de photographie et aux séminaires. Ouverts, ils se branchent sur un réseau électrique dans le sol de contreplaqué coloré, inspiré d'un dessin de Brice Marden, censé se modifier avec les matières visqueuses que laissent tomber les coloristes.

L'exposition de meubles des architectes italiens Dario Caimi et Franco Asnaghi pour Cassina, de l'autre côté de la rue, mérite aussi un coup d'œil.

ADRESSE 146 East 56th Street
BUREAU D'ÉTUDES Gilsanz Murray Steficek
COÛT $ 1, 68 million   SUPERFICIE 1 560 m²
MÉTRO 4, 5, 6 vers 59th Street ; N, R vers Lexington Avenue
AUTOBUS M31, M57, M101, M102, M103
ACCÈS uniquement sur rendez-vous

Anderson/Schwartz Architects 1996

Anderson/Schwartz Architects 1996

Calvin Klein

Ouvert à grand renfort de publicité, ce lieu minimaliste a contribué à donner le signal de l'invasion de boutiques-vedette des couturiers dans le quartier de Madison Avenue (d'East 51st Street à East 72nd Street). L'énorme siège de Ralph Lauren à Rhinelander Mansion sur Madison Avenue et 72nd Street a probablement donné le ton mais la vitrine de Klein a suivi de près. Les nouveaux venus de l'an dernier sont Moschino, Valentino, Prada, Etro et deux boutiques Armani. Fifth Avenue a aussi plusieurs nouveaux espaces valant des millions et abritant Versace, Ferragamo, Piaget et Revillon tandis que 57th Street abrite maintenant un curieux mélange de magasins bas de gamme et haut de gamme – les nouveaux venus ici sont Chanel, Niketown et Warner Brothers.

Ces magasins-vedette qui font à la fois office d'outils publicitaires universels et d'attractions touristiques sont des parangons d'excès. Le bâtiment Chanel, une haute tour étroite d'acier et de granite gris conçue par Platt Byard Dovell, est une élégante oasis de classicisme au milieu du kitsch triste et banliusard de Warner, Disney et Niketown. Chanel sera tôt ou tard rejoint par une tour (actuellement en cours de construction) conçue par l'architecte français Christian de Portzamparc pour LVMH (Louis Vuitton-Moët Hennessy). Ce projet passionnant marquera certainement un progrès considérable par rapport au magasin-vedette d'Armani à Madison Avenue et East 65th Street par Peter Marino, l'auteur des intérieurs de Vuitton et Valentino (voir page 178). Cette création de quatre étages en calcaire français est tout juste tolérable de loin mais elle s'avère épouvantable lors d'un examen attentif ; un système de circulation interne affreusement compliqué combiné à des finitions médiocres contraste vivement avec l'esthétique irréprochable des vêtements d'Armani.

La boutique de Calvin Klein, conçue par le minimaliste britannique John Pawson, est dépouillée et rationnelle. Le minimalisme est un

John Pawson 1995

John Pawson 1995

nouveau venu dans le Manhattan du commerce et les Américains ont tendance à imprégner ce concept plus britannique d'un éclectisme qui atténue son austérité, sa sérénité. L'espace prototype de Pawson n'est pas une exception. Le site abritait autrefois une banque dont on a conservé les pilastres ioniques à l'extérieur. D'énormes vitres verticales (plus de 10 m de haut) encadrées de calcaire ont été glissées entre ces colonnes.

L'intérieur à niveaux multiples est ancré autour du concept de blanc, décliné en plusieurs nuances. La gamme de matériaux volontairement limitée se compose de grès mat du Yorkshire, d'acier inoxydable et de noyer noirci. Trois étages (qui s'arrêtent à 30 cm des énormes verrières) plus une mezzanine et un sous-sol renferment les éléments indispensables conçus avec simplicité : miroirs rectangulaires étroits, tringles en acier inoxydable, cabines d'essayage. Le rayon ameublement au sous-sol regorge de reproductions et de rééditions de tables, bancs et lits de Donald Judd. Ces objets d'art austères, aux proportions parfaites, attirent l'attention sur les allées exiguës de Pawson, ses finitions minables et sa déformation de l'échelle.

Midtown

ADRESSE 654 Madison Avenue
BUREAU D'ÉTUDES De Nardis Associates
MÉTRO 4, 5, 6 vers 59th Street ; N, R vers Lexington Avenue
AUTOBUS M31, M57, M102, M103
ACCÈS libre

John Pawson 1995

John Pawson 1995

Upper East Side
et Roosevelt Island

Metropolitan Museum of Art

Il s'agit d'un projet de longue haleine : l'établissement du plan directeur pour l'agrandissement du musée a commencé en 1967 et la construction a continué jusqu'au début des années 1990.

Le musée, qui a célébré son 125e anniversaire en 1995, est une superbe combinaison de gothique victorien, de style Beaux-Arts et de modernisme. Les principaux acteurs en furent Calvert Vaux et Jacob Wrey Mould ; Richard Morris Hunt ; McKim, Mead & White ; et Kevin Roche John Dinkeloo and Associates. C'est seulement en 1903 que la façade principale de ce « palais dans le parc » fut orientée par Hunt vers Fifth Avenue. McKim, Mead & White agrandirent cette façade et ajoutèrent les ailes nord et sud. Kevin Roche estima que les plus récentes adjonctions ne devaient pas être si formelles. Il était partisan d'une « architecture qui se rapproche du type de bâtiment que l'on s'attend à trouver dans un parc, comme une serre dans un jardin botanique ».

Le résultat est archéologique : le bâtiment est composé de couches architecturales superposées. Par exemple, l'aspect le plus apparent de la structure gothique victorienne d'origine de Vaux et Wrey Mould est devenu le mur est de l'aile Robert Lehman de Roche Dinkeloo, tandis que le majestueux escalier menant à l'entrée imposante sur Fifth Avenue – ajoutée par Roche Dinkeloo en 1970 – dissimule la base d'origine à bossage rustique de Hunt et transforme donc l'ensemble de la composition.

C'est la reconstruction de la plus grande envergure effectuée pour un musée aux États-Unis. L'agrandissement a été précipité par l'arrivée du temple de Dendur (1er siècle avant J.C.) venu en 1965 de la République Arabe Unie et par l'approche du bicentenaire célébré par l'Amérique en 1976. La phase initiale a consisté à refaire l'élévation ouest, notamment l'esplanade avant et l'entrée du grand hall restauré. L'axe de l'entrée a

Kevin Roche John Dinkeloo and Associates 1967-1990

ensuite été accentué par l'ajout du Pavillon Lehman à éclairage zénithal sur la façade ouest. L'aile Robert Lehman (1975), le temple de Dendur dans l'aile Sackler (1978), la nouvelle aile américaine (1980) et l'aile Michael C Rockefeller (1982) ont suivi.

Les quatre ajouts les plus récents sont l'aile Lila Acheson Wallace achevée en 1987, l'Iris et B Gerald Cantor Roof Garden (jardin-terrasse) terminé en 1987, les Tisch Galleries achevées en 1988, l'aile Henry R Kravis et la cour de sculpture européenne Carroll et Milton Petrie achevées en 1990.

Upper East Side et Roosevelt Island

ADRESSE Fifth Avenue à la hauteur de East 82nd Street
BUREAU D'ÉTUDES Severud Associates
COÛT $ 190 millions
SUPERFICIE 120 000 m²
MÉTRO 4, 5, 6 vers 86th Street
AUTOBUS M1, M2, M3, M4, M86
ACCÈS libre

Kevin Roche John Dinkeloo and Associates 1967-1990

Upper East Side et Roosevelt Island

Kevin Roche John Dinkeloo and Associates 1967-1990

Agrandissement du Musée Guggenheim

Le musée Guggenheim de Frank Lloyd Wright est peut-être le dernier bâtiment construit à Manhattan à avoir lancé une typologie nouvelle. Cet édifice circulaire de béton, conçu autour d'une rampe hélicoïdale de sept étages, a introduit des idées nouvelles sur l'organisation de l'espace et la contemplation des œuvres d'art. Ouvert au public en 1959, il devint immédiatement un emblème. Wright lui-même a baptisé le Guggenheim son « temple dans le parc ».

De nombreux architectes et critiques estimèrent que le bâtiment était en soi une œuvre d'art : on ne songerait jamais à embellir un tableau de Van Gogh, alors pourquoi ajouter quoi que ce soit au Guggenheim ? Mais les bâtiments ne sont pas des œuvres d'art et un édifice doit être programmé de façon à pouvoir être reconfiguré, rénové et agrandi. Charles Gwathmey a déclaré dans une réponse écrite à ses critiques (parue dans *Architectural Record* d'octobre 1992) que « l'architecture n'est pas statique, sa perception non plus. Nous croyons à l'idée d'addition autant qu'à sa réalisation : une intervention moderne référentielle qui soutient les intentions formelles et les précédents du bâtiment d'origine, tout en élargissant son idéal et sa réalité ».

Certains critiques soutiennent que l'agence Gwathmey Siegel s'en est bien tiré en suivant des plans dessinés par Wright en 1949 pour créer un bâtiment plus fidèle à Wright que la spirale de béton indépendante qui a été construite. D'autres se sont moqués de la nouvelle configuration qu'ils ont comparée à une cuvette et à un réservoir de W.C.

La rénovation et l'agrandissement qui ont duré deux ans ont créé une nouvelle annexe de dix étages à l'est de l'édifice d'origine. Revêtu d'un calcaire à motifs de treillis, l'agrandissement rectiligne, tel une boîte texturée discrète, s'harmonise merveilleusement à la rotonde et constitue une toile de fond idéale pour la spirale théâtrale. Ce qui était un objet sculptural sur

Gwathmey Siegel & Associates Architects 1992

Gwathmey Siegel & Associates Architects 1992

pied ressemble maintenant à l'abstraction tridimensionnelle d'un tableau cubiste, dont le volume fait partie d'une plus vaste composition.

La nouvelle tour abrite quatre galeries d'exposition superposées, deux étages supérieurs de bureaux et un étage pour les machines. 925 m² d'espaces auxiliaires ont été ajoutés sous le trottoir de Fifth Avenue. Les raccordements intérieurs entre les parties anciennes et nouvelles sont merveilleusement exécutés. Le toit de la rotonde interrompt les zones récentes car des morceaux inattendus du toit de cuivre et de pierre reconstituée font saillie dans l'espace d'exposition blanc.

Plusieurs modifications ont été apportées à la construction d'origine. Le sommet de la spirale inclinée, condamné par un précédent directeur, a été rouvert et peut servir d'espace muséologique. De nouvelles lucarnes isolantes ont été installées, créant une merveilleuse lumière qui noie la rampe tout entière (la lucarne d'origine n'avait pas été nettoyée depuis 1959). La petite rotonde existante a été reprogrammée en magasin de souvenirs au niveau inférieur et en espace d'exposition au-dessus. Une cafétéria conforme à un plan de Wright a été placée au fond du rez-de-chaussée et une terrasse de 83 m² pour les sculptures a été ajoutée au cinquième étage. Cet espace restreint mais merveilleux donne la possibilité d'examiner de près le raccord extérieur de l'ancien et du nouveau et offre une vue spectaculaire sur Central Park.

ADRESSE Fifth Avenue à la hauteur de East 89th Street
BUREAU D'ÉTUDES Severud Associates
SUPERFICIE 12 500 m²
MÉTRO 4, 5, 6 vers 86th Street
AUTOBUS M1, M2, M3, M4, M86
ACCÈS libre

Upper East Side et Roosevelt Island

Gwathmey Siegel & Associates Architects 1992

Gwathmey Siegel & Associates Architects 1992

Agrandissement du Musée Juif

Le Jewish Museum occupait initialement deux bâtiments communiquant sur Fifth Avenue : la Warburg Mansion, monument historique de 1908, et le List Building and Courtyard de 1962. Conçu dans le même style et avec la même hauteur que l'hôtel particulier de style Beaux-Arts de C P H Gilbert, l'ajout de 1993 passe presque inaperçu. C'est comme si la Warburg Mansion avait été étirée, élargie et ajustée par magie.

L'espace muséologique a été doublé et on a ajouté des salles de classe et un auditorium de 232 sièges. Des morceaux du bâtiment existant sont incorporés à l'intérieur et des lucarnes et fragments de corniche transférés à l'extérieur. Le projet a été controversé et nombreux sont ceux qui estiment, comme moi, que Kevin Roche a raté l'occasion d'effectuer un geste architectural audacieux et méritoire. Roche explique que ses plans répondent aux souhaits de ses clients et qu'ils témoignent d'un des nombreux rôles que l'architecte doit assumer : « Je ne me suis pas offert de satisfaction personnelle ».

Roche est aussi l'architecte de A Living Memorial to the Holocaust, The Museum of Jewish heritage (un monument vivant à l'holocauste, Musée du patrimoine juif). Situé sur un emplacement triangulaire étroit à Battery Park City, cet édifice de granit de 1923 m² semble austère, avec ses deux étages et ses six côtés – à la mémoire des six millions de victimes et évocation des six pointes de l'étoile de David. À l'étage supérieur, de grandes fenêtres donnent sur la baie et la vue s'étend jusqu'à la statue de la Liberté. Les lucarnes du toit laissent entrer une lumière abondante.

ADRESSE 1109 Fifth Avenue
BUREAU D'ÉTUDES Severud Associates
COÛT $ 21 millions SUPERFICIE 2760 m²
MÉTRO 6 vers 96th Street AUTOBUS M1, M2, M3, M4, M96
ACCÈS libre

Kevin Roche John Dinkeloo and Associates 1993

Kevin Roche John Dinkeloo and Associates 1993

Complexe de loisirs d'Asphalt Green

La parabole géante de béton a été conçue par Ely Jacques Kahn et Robert Allan Jacobs dans les années 1940, dans une ancienne usine d'asphalte. L'ossature d'acier en forme d'arc parabolique se compose de quatre nervures préfabriquées, hautes de 27 m et distantes de 6,60 m, encastrées dans une série de panneaux de béton réunis pour former des voûtes en berceau continues. Influencée par les ingénieurs français de dirigeables (Jacobs a travaillé pour Le Corbusier dans les années 1930) et par les machines utilisées pour fabriquer l'asphalte, elle a fonctionné jusqu'en 1968 et produisant l'asphalte pour combler les nids de poule de New York.

En 1982 Pasanella + Klein et Hellmuth, Obata & Kassabaum ont collaboré pour convertir l'usine en espace de loisirs public et privé, le George and Annette Murphy Center. L'élément sinueux qui présente le plus d'intérêt se trouve dans l'angle nord de cet étroit site triangulaire. C'est une séduisante façade ondulante de brique rouge à cinq étages, garnie de vert jaune et de bleu ciel : cet extérieur évoque la parabole, le bord de l'eau et la piscine intérieure qu'abrite l'édifice. La composition interne et la surface externe ont été déterminées par la présence de l'unique piscine olympique de Manhattan.

Ce complexe à but non lucratif, financé par des capitaux privés, espère former un champion olympique – d'où la fenêtre d'observation sous l'eau de 1,2 x 3,6 m qui permet aux entraîneurs d'analyser la technique. Le droit d'entrée est variable en fonction des revenus de chacun.

ADRESSE 1750 York Avenue
BUREAU D'ÉTUDES Goldreich, Page & Thropp
COÛT $ 24 millions SUPERFICIE 6898 m²
MÉTRO 4, 5 vers 86th Street ; 6 vers 96th Street   AUTOBUS M31, M86
ACCÈS libre dans le vestibule ; les équipements sont accessibles moyennant un forfait journalier.

Richard Dattner Architect 1993

Richard Dattner Architect 1993

Centre culturel islamique

Le centre possède une mosquée traditionnelle, lieu de réunion religieuse, construite dans des matériaux familiers à New York : granite, marbre et verre. Parrainé par les pays islamiques des Nations-Unies, il dessert la communauté locale et les diplomates de passage. Le vendredi soir, il reçoit plus de mille fidèles. Une école et une bibliothèque sont en cours de construction sur une parcelle contiguë pour compléter les salles de classe et les bureaux administratifs.

L'édifice cubique – composé d'unités carrées répétées – est couronné d'un dôme de béton, de verre et d'acier. À l'intérieur, une salle de prière sans colonnes d'une portée de 27 m est orientée en direction de la Mecque. Tout le décor plat dérive aussi de motifs carrés : des panneaux de granite flottants, encadrés de bandes de verre, sont soutenus par un réseau invisible de tubes d'acier.

L'entrée spectaculaire, haute de 4,5 mètres, se compose de couches de miroir vert à motifs géométriques (le vert est associé au paradis dans l'Islam). L'intérieur possède une minuscule galerie pour les femmes – les habitués se plaignent souvent du manque de place attribué aux fidèles de sexe féminin – face au *mihrab* (niche dans le mur indiquant la direction de la prière) et structurellement suspendue aux quatre fermes qui soutiennent le dôme revêtu de cuivre. Une touche sculpturale – un grand cercle de lampes suspendues par des fils d'acier destiné à symboliser des lampes à huile – permet d'éclairer la salle de prière dont le sol est recouvert de tapis. Il faut se déchausser et les femmes doivent porter les caftans à capuche mis à leur disposition.

ADRESSE 1711 Third Avenue
ARCHITECTES DU MINARET Swanke Hayden Connell Architects
BUREAU D'ÉTUDES Richard Rowe
COÛT $ 17 millions   SUPERFICIE 1950 m²
MÉTRO 6 vers 96th Street   AUTOBUS M96, M101, M102, M103
ACCÈS libre

Skidmore, Owings & Merrill 1991

Skidmore, Owings & Merrill 1991

Pavillon Guggenheim, centre médical de Mount Sinai

Il s'agit d'un vaste projet qui couvre en totalité un îlot carré face à Central Park.

La façade de onze étages est en brique neutre et en calcaire. Un filet quasiment imperceptible de briques lavande, chamois et grises posées à la main réduit l'énormité de la masse. Les détails et finitions en calcaire classique et les encadrements de bronze des fenêtres carrées répétées atténuent l'allure hospitalière de l'édifice qui s'harmonise bien avec son environnement et mérite d'être qualifié de plaisant.

Trois tours s'élèvent sur une base rectangulaire. Des entailles triangulaires pratiquées dans ces tours créent deux grandes cours arborées. L'ensemble s'organise autour de ces atriums publics et d'une troisième esplanade à éclairage zénithal. L'esplanade sert de lieu de circulation et relie environ les deux tiers du centre au niveau du rez-de-chaussée. Le programme complexe prévoyait 625 lits, 22 nouvelles salles d'opération, un nouveau service d'urgences, un service de réadaptation et un service de médecine nucléaire, un bureau des admissions, une cafétéria, un centre de conférence et un auditorium, une cuisine, des bureaux administratifs, une chapelle et une synagogue.

ADRESSE Fifth Avenue à Madison Avenue, East 98th Street à 102nd Street
ARCHITECTE ASSOCIÉ Ellerbe Architects & Engineers
BUREAU D'ÉTUDES Weiskopf & Pickworth
COÛT $ 218 millions
SUPERFICIE 83 678 m²
MÉTRO 6 vers 103rd Street
AUTOBUS M1, M2, M3, M4, M96
ACCÈS libre dans le vestibule

Upper East Side et Roosevelt Island

Pei Cobb Freed & Partners 1992

Pei Cobb Freed & Partners 1992

À 275 mètres à l'est de Manhattan, au milieu de l'East River s'étend une île de 3,2 km de long. Appelée Welfare Island (île de bienfaisance), elle fut rebaptisée Roosevelt Island en 1971. La corporation pour le développement urbain de l'État de New York l'annonça comme « la nouvelle ville dans la ville ». Les voitures y sont interdites, on y accède par tramway, métro ou autobus. Sur cette île sinistre mais très peuplée (3000 logements à ce jour), il est difficile de préciser dans quelle ville, quel État, quel pays ou sur quel continent on se trouve. Les logements subventionnés par l'État voisinent avec les résidences des diplomates fortunés des Nations-Unies. L'île abrite des hôpitaux désaffectés ou en service, notamment l'Octagon Tower, noyau central de l'ancien asile d'aliénés de New York City tombant tristement en ruines à une extrémité, et on a l'impression que des mort-vivants sont à chaque coin de rue.

École publique résolument déconstructiviste, la PS 217 brille au milieu de cette amère expérience urbaine. Son architecture est assurée, surtout tenant compte de l'environnement difficile. Des quadrillages imbriqués les uns dans les autres organisent quatre éléments principaux autour d'une cour. Les salles de classe occupent un immeuble étroit de quatre étages abritant un cube à deux étages posé légèrement de guingois. Le quadrillage modulaire est repris à diverses échelles et dans des matériaux différents : dans le pare-soleil de béton, le fenêtrage de verre et les cadres métalliques en porte-à-faux. La géométrie formelle et les matériaux urbains rudes sont animés par des couleurs primaires ensoleillées. L'édifice tire adroitement parti de son site au bord de l'eau tout en créant une enclave privée pour les 850 élèves de la maternelle au collège.

ADRESSE 645 Main Street, Roosevelt Island
COÛT $ 2,2 millions SUPERFICIE 10030 m²
MÉTRO B, Q vers Roosevelt Island AUTOBUS Q102
ACCÈS ne se visite pas

Michael Fieldman & Partners 1992

Michael Fieldman & Partners 1992

Central Park

Patinoire Wollman Memorial

Un examen de l'architecture de New York City ne peut pas se limiter à des projets particuliers. Il doit être une sorte d'étude urbaine. Manhattan et ses cinq « boroughs » couvrent un territoire étendu et les foyers de développement qui accompagnent des édifices particuliers peuvent avoir des prolongements considérables.

Central Park est un des quartiers qui ont subi des changements notables au cours des dix dernières années. Parti esthétique pour Manhattan, le premier parc urbain d'Amérique est à la fois un élément formel d'organisation dans le plan directeur de New York et un merveilleux espace de plein air bien utilisé. Œuvre d'art de Frederick Law Olmsted et Calvert Vaux, ce parc de 422 hectares possède une topographie et des paysages entièrement artificiels.

La rénovation du Wollman Memorial Rink est une intervention architecturale qui a grandement contribué à renverser l'opinion publique à propos du parc, en provoquant un afflux de nouveaux usagers dans un lieu qui était perçu comme dangereux et infesté de criminels. Le projet fut commencé il y a des dizaines d'années puis le site fut abandonné à cause d'un manque de financement jusqu'à l'intervention de Donald Trump qui sauva la situation. Bien que son esthétique ne soit pas des plus raffinées (la patinoire a été comparée à un chantier), l'endroit est néanmoins romantique et charmant.

Central Park

ADRESSE West 59th Street à la hauteur de Sixth Avenue
MÉTRO B, Q vers 57th Street ; N, R vers 5th Avenue
AUTOBUS M1, M2, M3, M4, M5, M6, M7
ACCÈS libre

1986

Central Park

1986

Zoo de Central Park

Ce zoo, qui se compose d'une série de portes en granit, ardoise et calcaire traditionnel, de treillis à colonnades et de bâtiments de brique, est officiellement appelé Centre pour la préservation de la flore et de la faune. Le projet se substitue au zoo initial des années 1960 qui était insuffisant et inopportun. Le zoo de remplacement semble écologique et humain et le minuscule site de 2,75 hectares parvient à abriter une série d'animaux dans un espace de dimensions satisfaisantes mais il est affreusement conservateur. Cette commande peu commune pour l'architecte de société qu'est Kevin Roche a manifestement nécessité une collaboration étroite avec des spécialistes des zoos.

Le plan initial en U a été remanié et s'organise autour de trois zones : tropicale, tempérée et arctique. La circulation est un vrai régal : l'allée mène directement aux espaces d'exposition abritant plus de 450 animaux. Le bassin des otaries, l'île des singes des neiges, la forêt des pandas rouges et l'habitat à plusieurs niveaux des ours polaires offrent tous une bonne visibilité.

Mais c'est encore un exemple de la frustration qu'engendre l'architecture de Manhattan. C'était l'occasion de recourir à une typologie nouvelle, une forme nouvelle, à l'utilisation de matériaux nouveaux. Rien n'a été tenté. Rien dans ce projet n'ose s'écarter de l'identifiable et du familier. Rien de comparable au bassin à pingouins révolutionnaire de Lubetkin au zoo de Regent's Park à Londres.

ADRESSE Fifth Avenue à la hauteur de 64th Street, Central Park
BUREAU D'ÉTUDES Weiskopf & Pickworth
COÛT $ 30 millions
SUPERFICIE 4600 m²
MÉTRO 6 vers 68th Street ; B, Q vers Lexington Avenue ; N, R vers 5th Avenue
AUTOBUS M1, M2, M3, M4, M66, M72
ACCÈS libre

Central Park

Kevin Roche John Dinkeloo and Associates 1988

Kevin Roche John Dinkeloo and Associates 1988

Centre de découverte Charles A Dana

La partie tout au nord de Central Park, voisine du Spanish Harlem, a été négligée et peu utilisée jusqu'à une date récente. Au cours des années 1980, la fondation Charles A Dana (un organisme philanthropique dont le siège est à New York) et le comité féminin de Central Park ont collecté la majorité des fonds nécessaires à la construction du centre, première tranche d'un plan de $ 16 millions pour la réhabilitation du Harlem Meer, un lac de 5,5 hectares. Avec ses paysages d'eau et de rocher, cette partie est appréciée des ornithologues amateurs. Les North Woods, 100 hectares plantés d'arbres au-dessus de 96th Street, ont été assainis et reboisés dans le cadre de ce projet et des mesures ont été prises pour améliorer la sécurité.

Le bâtiment est un centre d'étude de l'environnement pour les écoliers. Organisé autour d'un plan cruciforme, il abrite une salle de découverte où sont exposés des objets interactifs, une salle humide donnant accès aux bateaux, une salle de classe, des bureaux et des toilettes publiques. C'est un hangar à bateaux placé à cheval sur la terre et sur le Meer qui consiste en deux rectangles à toit en pente avec une adorable coupole au centre. Avec ses finitions de brique, granite et pierre bleue, avec ses bordures de pignon, ses arcs, ses clefs pendantes, ses consoles mêlées à des ornements artisanaux tarabiscotés, cette reconstitution historique d'antiquités victoriennes s'est inspirée de l'œuvre de Frederick Law Olmsted, un des premiers créateurs du parc. Le centre que l'on n'identifie pas facilement comme étant neuf (si ce n'est pour sa propreté immaculée) est effacé et rassurant.

ADRESSE 110th Street près de Fifth Avenue, Central Park
BUREAU D'ÉTUDES Weidlinger Associates
COÛT $ 1,8 million   SUPERFICIE 483 m²
MÉTRO 2, 3, 6 vers 110th Street   AUTOBUS M1, M2, M3, M4, M18
ACCÈS libre

Buttrick White & Burtis 1993

Central Park

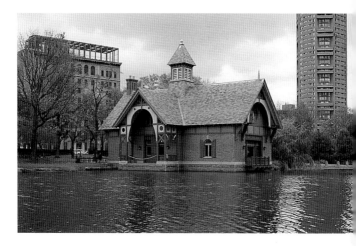

Central Park

Buttrick White & Burtis 1993

Upper West Side

Manécanterie de Saint-Thomas

Cette façade symétrique sur rue, qualifiée de « contextuelle », se voit à peine. L'entrée principale à encadrement de bois et les mâts ont un aspect administratif mais c'est la fenêtre en oriel encadrée, haute de trois étages, au centre de la façade de brique rouge, qui fait allusion au contenu du bâtiment. Cinquante chanteurs, âgés de 9 à 14 ans, étudient et répètent dans ce campus vertical. C'est la seule manécanterie d'Amérique affiliée à l'église. Leur gratte-ciel de 15 étages au centre de Manhattan se divise en trois sections : l'école aux six premiers étages, les appartements du corps enseignant au milieu alors qu'au douzième étage commencent deux tours et une chapelle à pignon. Chaque partie est organisée autour d'une série d'espaces de réunion de double ou triple hauteur. La division apparaît aussi sur l'extérieur à la limite du post-modernisme où des bandeaux et des angles décoratifs gris délimitent le haut de chaque section.

Saint-Thomas reçut ce terrain (22,5 x 30 m) en échange, avec un promoteur local, de la propriété du site d'origine que le POS réservait au commerce ; une aide financière a été accordée pour sa construction. Le nouveau site étant étroit, plusieurs espaces devaient assurer une double fonction. La salle de gymnastique, la plus ingénieuse, sert aussi de salle de répétition. Les charges du bâtiment sont reportées par des fermes à deux étages qui enjambent le gymnase souterrain. Une double épaisseur rocheuse sous le plafond à caissons contribue à créer une résonance analogue aux voûtes de pierre de Saint-Thomas. Sur la scène, des bancs encastrés pour le chœur jouxtent le terrain de basketball. Des rideaux de velours peuvent être abaissés pour absorber le bruit pendant les matchs.

ADRESSE 202 West 58th Street
BUREAU D'ÉTUDES Weidlinger Associates
MÉTRO 1/9, A, B, C, D vers 59th Street/Columbus Circle
AUTOBUS M5, M7, M10, M31, M57, M104
ACCÈS ne se visite pas

Buttrick White & Burtis 1987

Buttrick White & Burtis 1987

Bâtiment Samuel B et David Rose, Centre Lincoln nord

Le Centre Lincoln pour les arts du spectacle a souvent été catalogué comme un exemple de styles péjoratifs : brutalité, nouveau formalisme, fascisme. Construit dans les années 1960, son plan directeur a été conçu par Wallace K Harrison et parmi les architectes qui y ont participé figurent Pietro Belluschi, Eero Saarinen, Philip Johnson et SOM. Interprétation surannée d'une place italienne, le centre occupe 7 hectares et arbore fièrement un revêtement surabondant de travertin.

Le Centre Lincoln Nord, premier ajout depuis 1969, a donné l'occasion de rectifier certaines erreurs d'urbanisme du bâtiment d'origine. Deux bâtiments nouveaux et un remaniement de la Juilliard School et de Kaskel Plaza ont abouti à un lieu plus cohérent et mieux intégré dans la ville : c'est ainsi que le transfert de l'entrée de la Juilliard School utilise la promenade jadis stérile, un niveau au-dessus de celui de la rue.

Le 3 Lincoln Center, un nouveau gratte-ciel résidentiel haut de gamme à financement privé de 60 étages conçu par Harman Jablin Architects, exploite les droits du gabarit voisin (acquis pour $ 50 millions) d'une partie du Centre Lincoln. L'arrangement stipulait aussi que les promoteurs (Stillman Group) financeraient l'armature du Rose Building contigu, de 28 étages, qui abrite le Walter Reade Film Theater, un théâtre d'art et d'essai, des studios de danse et des dortoirs. La relation entre les deux tours a été traitée avec panache : le Rose Building est revêtu de pierre beige du Minnesota et les appartements sont recouverts de verre noir.

ADRESSE Amsterdam Avenue et West 65th Street
COÛT $ 150 millions   SUPERFICIE 32 500 m²
MÉTRO 1 vers 66th Street   AUTOBUS M5, M7, M11, M66, M72, M104
ACCÈS libre dans le grand hall et le vestibule

Davis, Brody & Associates 1990

Une des remarques les plus célèbres de J W von Goethe est que l'architecture est une musique figée. Le concepteur Jordan Mozer a tenté de concrétiser cette notion en créant une architecture qui est une musique tellement figée qu'elle commence à se solidifier. Iridium, un restaurant explosif et vivant, est selon Mozer « ce à quoi ressemblerait la musique si on pouvait la voir ». Il n'est pas certain que ce soit exactement ce que Goethe avait en tête : de nombreuses mélodies et rythmes différents semblent jouer simultanément dans ce restaurant complexe.

Le Centre Lincoln (voir page 230), situé juste de l'autre côté de la rue, a été la source d'inspiration de cet espace cacophonique. Mozer a imaginé l'essence des arts du spectacle sortir en flottant du complexe du Centre Lincoln et se cristallisant sous la forme de l'Iridium. Il a conçu des références littérales à des vedettes célèbres : la colonne Placido Domingo arbore un smoking et une queue de pie et se dilate visuellement comme si elle allait se mettre à chanter ; l'extraordinaire façade est encadrée d'acier inoxydable et couronnée par cinq toits de cuivre à fioritures dont trois sont intitulés « toits Baryshnikov » car ils sont censés sauter les uns par dessus les autres. Les métaphores générales sont aussi très nombreuses : des canapés exécutent un pas de deux pendant qu'un meuble de rangement est en position de troisième.

Le mobilier hilarant est l'élément le plus réussi de cette création. Une chaise orange à pattes d'éléphant portant des chaussures à semelles compensées voisine avec une chaise en aluminium moulé, telle une ballerine portant des jambières. Les lampes de bureau en bronze et en verre soufflé pirouettent en tutu. Les rampes métalliques sont formées de notes entrelacées façonnées avec du matériel ressemblant à des pièces de clarinette. C'est un pays de rêve agité, envahi parfois de notions fantasques au point de devenir une hystérie, un cauchemar.

Jordan Mozer & Associates 1994

Jordan Mozer & Associates 1994

Mozer aborde son œuvre comme une fantaisie pure, sans faille. L'absence de hiérarchie dans les idées accentue l'aspect surréaliste. Les murs ondulants, l'accent mis sur les détails décoratifs et narratifs (comme les portes munies de pansements de cuivre aux endroits où elles pourraient être éraflées) créent une atmosphère humoristique. Une échelle ridicule, des juxtapositions, des couleurs psychédéliques et des finitions réalisées avec art donnent l'impression d'être plongé dans un épisode de *The Jetsons* en ayant pris de l'Ecstasy.

ADRESSE 44 West 63rd Street
COÛT $ 1,8 million
SUPERFICIE 810 m²
MÉTRO 1/9 vers 66th Street ; A, B, C, D vers 59th Street/Columbus Circle
AUTOBUS M5, M7, M10
ACCÈS libre

Jordan Mozer & Associates 1994

Jordan Mozer & Associates 1994

ABC Studios

L'évolution esthétique de Kohn Pedersen Fox est attestée dans ce minuscule secteur de Manhattan. ABC a été le premier client de l'agence en 1976 et les deux compagnies ont entretenu depuis une relation fructueuse. Cinq grands projets conçus par KPF pour ABC sont situés dans un rayon de deux îlots.

Le premier, achevé en 1978, est la restauration et la transformation en studios de télévision du splendide Battery Armory (datant de 1905) sur 66th Street. Le premier bâtiment nouveau est une tour quelconque de verre, de brique et de calcaire, conçue en 1979, au 30 West 67th Street. Les WABC Studios, également terminés en 1979, sont plus mémorables. La caisse de brique et de terre cuite sans fenêtres a un vestibule de verre qui s'enroule autour de l'angle et elle est surmontée d'un atrium vitré de trois étages.

Le 47 West 66th Street, terminé en 1986, est la quintessence du post-modernisme contextuel. Une base de six étages soutient la façade sur rue ; la lourde tour carrée qui la surmonte est allégée par de grandes baies semi-circulaires. Capital Cities au 77 West 66th Street – une tour de bureaux de 22 étages qui se fait passer pour des appartements – est discrète et pourtant irritante. L'ajout le plus récent, au 147 Columbus Avenue, est peut-être le moins beau de tous. De lourds volumes de briques surmontés de six étages de verre noir semblent oppressants. Ce sont deux volumes rectangulaires croisant un mur-rideau à facettes et les proportions semblent déséquilibrées. Un mât signalant la présence d'ABC ne fait qu'aggraver le désordre de la façade.

ADRESSE 47 West 66th Street ; 77 West 66th Street ; 147 Columbus Avenue
BUREAU D'ÉTUDES Weiskopf & Pickworth ; Severud-Szegezdy ; Severud Associates
MÉTRO 1/9 vers 66th Street ; B, C vers 72nd Street
AUTOBUS M7, M10, M11, M66, M72
ACCÈS ne se visite pas

Kohn Pedersen Fox Associates 1986, 1988, 1992

Kohn Pedersen Fox Associates 1986, 1988, 1992

Lincoln Square Sony Theater

Le contexte d'un Manhattan posturbain comme site de ce phénomène suburbain est inexplicable. L'architecture kitsch démesurée et l'intérieur banal de parc à thème de ce centre du film, vertical et vulgaire, sont bien fâcheux.

L'unique point positif est la relation affirmée du cinéma multisalles étincelant avec Broadway. Une partie du lourd extérieur est un mur-rideau de verre qui le soir fait partie de la rue. De l'extérieur, on aperçoit le tapis Art Déco du complexe, les guirlandes néoclassiques et une peinture murale de 22,50 m de haut honorant les immortels de l'âge d'or d'Hollywood. Une fois à l'intérieur, après avoir traversé un vestibule mal conçu et pris l'étroit escalator, on arrive à l'espace des concessionnaires en passant par la reproduction d'une porte des studios Sony à Culver City. On est immédiatement frappé par l'image déconcertante de palmiers d'or géants, incroyablement grossiers. Les entrées des douze cinémas sont des versions à la Disney de façades célèbres de cinémas, portant des noms comme Avalon, Valencia, Capitol, Majestic. Thèmes marocains, sphinx égyptiens, porches de temples Maya et pagodes de plâtre sont déployés tapageusement sur ces entrées. Je n'y vois aucune version réussie du prestige éclatant des années 1920 et 1930.

Malgré l'architecture maladroite au point d'en être embarrassante, les New-yorkais semblent adorer l'espace pour son confort – pendant les week-ends il faut réserver longtemps à l'avance.

Upper West Side

ADRESSE 1998 Broadway
MAÎTRE D'OUVRAGE Sony Theatres
BUREAU D'ÉTUDES Entertainment Engineering
MÉTRO lignes 1/9 vers 66th Street ; B, C vers 72nd Street
AUTOBUS M5, M7, M11, M66, M72, M104
ACCÈS libre

Gensler and Associates (à Los Angeles) 1995

Gensler and Associates (à Los Angeles) 1995

353 Central Park West

Ce nouveau bâtiment d'angle de 19 étages à usage d'habitations situé au cœur du quartier historique d'Upper West Side/Central Park West s'est substitué à trois maisons mitoyennes de la fin du XIXᵉ siècle. L'équipe de conception a donc dû contenter de nombreux partis influents : commission de protection des lieux historiques, les collectivités locales du West Side, société d'art municipale et le comité des monuments historiques de l'American Institute of Architects de New York City. Un rapport préliminaire analysant les éléments intrinsèques des résidences de luxe de Central Park West fut élaboré : matériaux, couleurs, organisation des volumes, entrées, fenêtrage et ornements décoratifs jusqu'aux bacs à plantes. On a beaucoup débattu des décrochements figurant sur les bâtiments de la rue. Pour créer cet effet de cascade très populaire, le 353 s'aligne sur les façades voisines au niveau du sol puis il monte jusqu'à une corniche à 45 m de haut. Ensuite, plusieurs terrasses sont disposées en retrait par rapport à l'avenue et aux élévations sur rue, le tout se terminant par un appartement sur le toit surmonté de tourelles et un château d'eau. Les plans des appartements en copropriété sont aussi conservateurs que l'extérieur du bâtiment. Un seul appartement par étage (il n'y en a que 16 au total) permet d'exprimer les éléments répétitifs sur les façades. À l'intérieur, les entrées de marbre, les chambres de service, les sols en bois de rose et les cheminées donnent le ton. Les prix démarrent à environ $ 1,2 million auquel s'ajoutent de lourdes charges mensuelles. Mais les panoramas sur Central Park sont fantastiques !

ADRESSE 353 Central Park West
MAÎTRE D'OUVRAGE KISKA Developers
ARCHITECTE-EXPERT The Vilkas Group
BUREAU D'ÉTUDES The Office of Irwin G Cantor
MÉTRO B, C vers 66th Street   AUTOBUS M10, M96
ACCÈS ne se visite pas

Upper West Side

Yorgancioglu Architects 1992

Yorgancioglu Architects 1992

Morningside Heights et Harlem

244 **Bâtiment d'informatique de l'université de Columbia**

L'université de Columbia, créée en 1754, est l'un des établissements d'enseignement les plus anciens d'Amérique et une des huit grandes universités privées qui constituent l'Ivy League. Bien inséré dans le plan quadrillé de Manhattan, son campus s'étend de West 114th Street à West 120th Street et de Broadway à Amsterdam Avenue. On doit au plan directeur élaboré en 1893 par McKim, Mead & White la magnifique Low Library, quelques cours et de rares salles de classe de style Beaux-Arts. Le reste du campus, dont le style est essentiellement celui de la Renaissance italienne (brique rouge et calcaire avec des toits de cuivre), s'est développé petit à petit et il se compose de bâtiments individuels dont le mérite architectural est variable. C'est un régal de se promener dans ce tableau métropolitain dense et pêle-mêle.

Le bâtiment informatique occupe l'angle nord-est du campus. Le toit où se trouvait autrefois le Bloomingdale Asylum for the Insane (asile d'aliénés) est entouré de bâtiments dont les dates de construction s'échelonnent de 1897 à 1958. Assurant le lien entre trois constructions distinctes, une cour publique et la rue, le nouvel agrandissement réussit admirablement à manipuler avec habileté des espaces imbriqués très différents. D'après le couple d'architectes qui travaillent en équipe (deux anciens étudiants de Columbia qui enseignent actuellement à l'École d'Architecture), « le bâtiment organise en un tout cohérent les éléments disparates du contexte qui le complètent à leur tour ». Leur œuvre hybride qui allie la construction neuve et la reconstruction joue avec les notions de positif et de négatif. La cour organise le projet tout entier, des points de vue cérémonial et fonctionnel. L'esthétique – « un équilibre, adapté aux circonstances, d'éléments d'origine classique, populaire et moderniste » – est réservée, gracieuse et contenue.

Morningside Heights et Harlem

R M Kliment & Frances Halsband Architects 1983

R M Kliment & Frances Halsband Architects 1983

Le bâtiment présente de beaux détails, des articulations nettes et une forme générale paisible et élégante. La façade sur rue en calcaire possède des proportions classiques obtenues grâce aux pilastres de granit poli disposés en rythme, aux fenêtres en retrait et aux tympans. Ces fenêtres sont, en réalité, factices : les panneaux de pierre bleue en guise de fenêtres constituent un jeu de plus sur le négatif et le positif, les pleins et les vides, la réalité et l'illusion.

Une qualité délicieusement subversive imprègne cette architecture rigoureuse et intellectuelle.

Morningside Heights et Harlem

ADRESSE Amsterdam Avenue
BUREAU D'ÉTUDES Robert Silman Associates
COÛT $ 3,9 millions
SUPERFICIE 3 500 m²
MÉTRO 1/9 vers 116th Street
AUTOBUS M4, M5, M11, M60, M104
ACCÈS ne se visite pas

R M Kliment & Frances Halsband Architects 1983

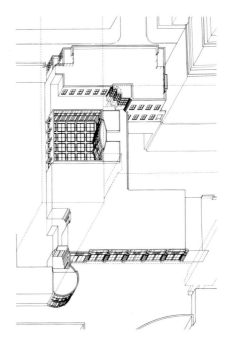

Morningside Heights et Harlem

R M Kliment & Frances Halsband Architects 1983

Université de Columbia :
agrandissement de Uris Hall

L'Uris Hall d'origine, qui abrite l'école de commerce de Columbia, a été construit en 1964. L'esthétique brutale de ce bâtiment de verre et de métal à huit étages n'a jamais été populaire sur le campus. Le nouvel agrandissement, bien accueilli par les critiques, n'est guère mieux intégré. D'un postmodernisme brutal, pompeux et oppressant, il enveloppe la façade de l'édifice d'origine en s'insérant entre les ailes existantes à trois étages et les escaliers de granit. Bien qu'il ne dissimule pas totalement l'ancienne construction, il est si écrasant que l'on oublie ce qu'il y a derrière. La façade revêtue de calcaire est ponctuée de fenêtres en retrait insérées dans un double schéma de grands carrés de 2,70 m de côté.

L'intérieur est tout aussi agaçant. Des escaliers jumeaux prétentieux en pierre bleue, ornés de grosses boules de béton aux extrémités partent d'un vestibule au sol de terrazzo incrusté de marbre. Hermès, le dieu grec du commerce, est gravé au bout du vestibule. L'effet imposant est peut-être intentionnel car c'est ici que les étudiants de Columbia subissent des entrevues professionnelles lors de la visite d'employeurs potentiels. Mais je doute de la nécessité d'avoir sur ce campus universitaire verdoyant un bâtiment qui évoque si insolemment une entreprise.

L'agrandissement est toutefois habilement agencé. Placée au-dessus d'un vieux gymnase et d'une chaufferie, une ferme à deux étages reposant sur quatre colonnes de 18 m porte la totalité de la construction.

ADRESSE campus nord, au nord de la Low Library
BUREAU D'ÉTUDES DeSimone, Chaplin & Associates
SUPERFICIE 2800 m²
MÉTRO 1/9 vers 116th Street   AUTOBUS M4, M5, M11, M60, M104
ACCÈS libre dans le vestibule

Peter L Gluck & Partners 1986

Morningside Heights et Harlem

Peter L Gluck & Partners 1986

Barnard College, Sulzberger Hall

La contextura élégante et contemporaine de ce bâtiment permet de l'identifier sur le champ comme un projet de Polshek. Le drapeau, l'horloge et le clocher de la ligne des toits sont des thèmes familiers dans son œuvre. Le pastiche maritime est manifestement une source favorite d'inspiration qui fonctionne en fait étonnamment bien dans l'Upper West Side de Manhattan.

L'édifice est divisé en deux parties : une tour de 20 étages et une autre moins élevée en forme de L qui a la même hauteur que les dortoirs existants. Le matériau de la tour – des briques liaisonnées à la flamande – la rattache aux bâtiments existants et les ailes de huit étages s'harmonisent avec l'environnement grâce à l'organisation de leurs volumes.

Vu de différents points de vue, ce gratte-ciel subtil présente des aspects divers. De loin, la tour fait office de campanile alors que de la rue le fenêtrage et les matériaux donnent la clé du programme. Le métal et le verre délimitent les zones publiques tandis que les espaces résidentiels sont revêtus de brique et de pierre. Les briques relient aussi le nouveau bâtiment à l'université de Columbia qui lui est affiliée, de l'autre côté de la rue.

La tour des dortoirs renferme une cour résidentielle, la pelouse de Lehman Lawn, substituant une cour privée et sûre à l'ancien espace informe à ciel ouvert. De la pelouse, la vue sur le bâtiment est vraiment architectonique : un éclat de verre et de métal s'intercale entre des sections verticales de maçonnerie. Le fenêtrage rigoureusement géométrique crée un schéma apaisant et assure à l'édifice une lisibilité parfaite.

ADRESSE 3009 Broadway
BUREAU D'ÉTUDES The Office of Irwin G Cantor
MÉTRO 1/9 vers 116th Street
AUTOBUS M4, M5, M11, M60, M104
ACCÈS ne se visite pas

James Stewart Polshek and Partners Architects 1988

Morningside Heights et Harlem

James Stewart Polshek and Partners Architects 1988

Dance Theater of Harlem

Le Dance Theater d'Harlem a été fondé il y a presque trente ans au sous-sol d'une église locale. Le site de l'ancien parking et garage qu'il occupe aujourd'hui a été converti pour la première fois par Hardy Holzman Pfeiffer en 1971. Agrandi et transformé en 1994, l'édifice est aujourd'hui le siège d'une compagnie professionnelle de 50 danseurs renommée dans le monde entier et d'une école fréquentée par 1300 étudiants. Situé dans une rue bordée essentiellement de logements et de bâtiments municipaux, cet édifice fier et assuré a apporté un flot d'optimisme au quartier. Étant très proche d'un terrain de jeu local, le bâtiment a une orientation d'angle, ce qui lui permet d'être vu de nombreux points de vue.

En hommage à Arthur Mitchell, le fondateur, une girouette à son image tourne joyeusement au sommet de l'édifice. Cet esprit exubérant se retrouve partout. La fonction de la construction a donné aux architectes l'idée de la traiter comme une chorégraphie. La couleur rehausse l'éclat, à l'extérieur comme à l'intérieur : l'extérieur dynamique juxtapose la brique rouge, la maçonnerie à rayures horizontales de céramiques noires et blanches et les bardeaux synthétiques. Un toit incurvé couronne le volume principal, contribuant au côté syncopé du projet.

À l'intérieur, l'agrandissement a nécessité d'ouvrir des passages dans les murs de brique porteurs et d'ajouter des colonnes de soutien en acier.

ADRESSE 466 West 152nd Street
BUREAU D'ÉTUDES Peter Galdi
COÛT $ 4,5 millions   SUPERFICIE 2600 m²
MÉTRO 1/9 vers 137th Street/City College ; B, C vers 135th Street
AUTOBUS M3, M11, M18
ACCÈS libre

Morningside Heights et Harlem

Hardy Holzman Pfeiffer Associates 1994

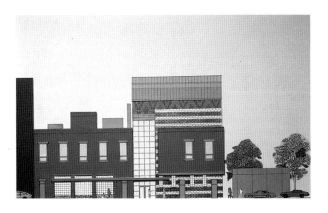

Morningside Heights et Harlem

Hardy Holzman Pfeiffer Associates 1994

Riverbank State Park

Parlant du processus délicat de négociation et de prise de décision qui a abouti à la création du Riverbank State Park, Richard Dattner emploi l'expression de « tri architectural » : il s'agissait de travailler avec « des choix, des priorités et la détermination de ce qui sera le plus profitable au plus grand nombre ».

Une ordonnance de la Cour Fédérale promulguée en 1965 stipule que New York City doit traiter toutes les eaux usées avant de les déverser dans l'Hudson River. Le site choisi pour l'usine de traitement de toutes les eaux usées du West Side se trouvait à Harlem, ce qui provoqua beaucoup de remous dans la communauté locale qui redoutait les odeurs nauséabondes et malsaines. En compensation, Nelson Rockefeller, le gouverneur de l'époque, offrit un parc de loisirs sur le toit de l'usine. Richard Dattner fut choisi en 1979 comme concepteur du parc par un comité composé de fonctionnaires de l'Administration et de représentants locaux. Au bout de neuf ans de réunions du conseil local, de préparations de documents et de plusieurs cycles de conception et de reconception, on aboutit finalement au parc tel qu'il se présente aujourd'hui.

Situé sur le toit de l'usine de traitement de la pollution de North River qui couvre 14 hectares, le parc est relié au quartier par des ponts pour véhicules et piétons à la hauteur de West 138th et West 145th Streets. Dattner dit que le parc suit « un régime strict à cause de la capacité porteuse limitée des caissons de l'usine, de ses colonnes et des portées du toit ».

Il a fallu transférer toutes les charges de l'édifice sur des colonnes qui reposent directement sur celles qui soutiennent l'usine. Le plan d'ensemble du parc a donc été dicté par la structure préexistante de l'usine. L'usine de traitement de la pollution de North River se compose de 14 sections distinctes qui bougent indépendamment quand le toit de béton précontraint de 1,80 m d'épaisseur se dilate et se contracte en fonction

Richard Dattner Architect 1991

Richard Dattner Architect 1991

des variations thermiques. Pour compliquer l'affaire, chaque section a une charge utile différente. Les aménagements paysagers et le pavage, deux charges supportées uniformément, reposent sur le toit. Toutes les constructions du parc sont en acier léger avec des murs faits essentiellement de panneaux revêtus de métal ou de carreaux.

Les bâtiments (un centre culturel, une patinoire, un restaurant et un gymnase) s'organisent autour d'une cour centrale avec une promenade périphérique ininterrompue au bord de l'eau.

Morningside Heights et Harlem

ADRESSE de West 137th Street à West 145th Street, à l'ouest de Henry Hudson Parkway jusqu'à l'Hudson River
MAÎTRE D'OUVRAGE État de New York
ARCHITECTE PAYSAGISTE Abel, Bainnson, Butz
BUREAU D'ÉTUDES Ewell W Finley
COÛT $ 130 millions
MÉTRO 1/9 vers 137th Street ou 145th Street
AUTOBUS M11, BX19
ACCÈS libre

Richard Dattner Architect 1991

Richard Dattner Architect 1991

Le Bronx

260 Hostos Community College, East Academic Complex

Il est situé sur le boulevard principal du Bronx, autrefois élégant. Aujourd'hui, seules une école et une poste anciennes rappellent l'âge d'or du quartier. Hostos s'adresse surtout à la population hispano-américaine à revenus modestes. Les étudiants, en majorité des femmes, sont à 60 % chef de famille monoparentale. Beaucoup bénéficient de l'aide sociale à leur arrivée mais après deux années d'études, elles sont assez compétentes pour gagner un salaire égal au revenu des classes moyennes. Fondé il y a 25 ans et baptisé du nom de l'éducateur portoricain Eugenio Maria de Hostos, le campus occupe le site d'une ancienne usine de pneus. Le nouveau bâtiment abrite un salon pour les étudiants, une cafétéria, un gymnase, un auditorium et un important musée d'art.

Il s'organise autour d'une passerelle pour piétons à éclairage zénithal faisant office de point de rencontre. L'extérieur n'a rien d'extraordinaire : l'organisation contextuelle des volumes, les matériaux et la couleur le font disparaître dans son cadre urbain. À l'intérieur, l'axe central, l'espace principal de circulation, est un atrium de cinq étages à éclairage zénithal, articulé verticalement par des escaliers en porte-à-faux et défini horizontalement par des balcons. Des matériaux durables et fonctionnels sont allégés par des géométries postmodernistes : les carrés se répètent dans le fenêtrage intérieur et un quadrillage vert figure sur le sol. Le mobilier enjoué va légèrement à l'encontre de l'ambiance pratique. Des bancs de marbre elliptique géants sur roues occupent tous les points stratégiques.

ADRESSE 500 Grand Concourse, Bronx
BUREAU D'ÉTUDES The Cantor Seinuk Group
SUPERFICIE 22 300 m²
MÉTRO 2, 4, 5 vers 149th Street/Grand Concourse   AUTOBUS BX1, BX19
ACCÈS libre

Gwathmey Siegel & Associates Architects 1993

Le Bronx

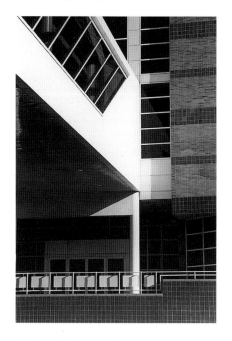

Le Bronx

Gwathmey Siegel & Associates Architects 1993

Bibliothèque locale de Sedgwick

Sa forme extérieure exprime sa fonction interne. Deux géométries claires et distinctes utilisant des matériaux dissemblables ont été choisies pour différencier les deux exigences du programme.

Un plan en forme de L avec un cône à demi intérieur/extérieur est appliqué à un lot triangulaire malcommode. Les espaces de lecture principaux sont logés dans une figure de béton rectiligne donnant sur le boulevard principal. Une longue galerie à éclairage zénithal s'ouvre sur une esplanade extérieure au nord qui, à son tour, mène au réseau de circulation principal du bâtiment.

Un cône d'acier inoxydable de 4,50 m abritant les réunions publiques et les activités collectives rencontre cette masse rectiligne à l'extérieur. C'est une construction à tenons, d'abord revêtue de bois puis enveloppée de panneaux, en forme de coin, d'acier inoxydable poli. David Prendergast a appelé cet élément « un tipi géant » et indiqué que la forme circulaire était une tentative pour mettre en lumière l'unité de la communauté. Il est certain que le cône très visible donne à la bibliothèque une identité claire dans le quartier.

Le reste du terrain a été méticuleusement aménagé par l'artiste Sandy Geller. Des marches de béton bien délimitées sont ponctuées de bornes de cuivre gravé qui scintillent dans l'obscurité en dessinant une formation basée sur la galaxie Sigma. Des roches de mica ont été logées dans le pavage ondulé. Un peu austère, le projet tout entier donne l'impression d'un paysage lunaire.

Le quartier de Sedgwick est en cours de rénovation et la nouvelle bibliothèque est considérée comme une étape importante.

ADRESSE 1701 University Avenue, Bronx
BUREAU D'ÉTUDES Stanley H Goldstein
COÛT $ 1,2 million   SUPERFICIE 370 m²
MÉTRO 4 vers 176th Street   AUTOBUS BX3, BX18, BX36
ACCÈS libre

Le Bronx

David W Prendergast Architects 1993

Le Bronx

David W Prendergast Architects 1993

Équipements d'éducation physique de Lehman College

Ce projet s'intéresse aux toitures, pas simplement à son propre toit. C'est une exploration des rôles que peut jouer une structure formant le sommet d'un bâtiment. Le toit comme topographie et typologie : paysage, abri, mur et entrée. Des plans d'acier inoxydables polis en usine dessinent des courbes fluides au-dessus des fermes apparentes pour former cette enveloppe extraordinaire ; les matériaux aérodynamiques et la forme inclinée dégagent une puissance mesurée. Dans un équilibre ingénieux, la structure intérieure apparente insiste sur la comparaison du bâtiment à un athlète, alors que simultanément l'extérieur en forme de colline le rattache à une géographie.

Les fondations de béton armé soutiennent une superstructure de fermes d'acier en forme de boîte d'une portée de 30 m. Le toit est en porte-à-faux sur 3 m au-dessus de la structure apparente, ombrageant la piscine intérieure et deux gymnases situés au niveau – 1. Le bâtiment fait toute la longueur de l'axe longitudinal du campus. L'acier est interrompu à intervalles réguliers par des fenêtres longitudinales et une rupture se produit à l'endroit où une lucarne de verre et d'aluminium couvre le couloir public central.

Les installations ont été conçues comme une porte entre la communauté et le campus du collège. La façade sur rue en béton précontraint qui délimite la bordure nord du campus s'accompagne d'une cour d'entrée bien contrôlée. Elle se trouve au niveau des sièges de spectateur à côté des vestiaires qui relient les différentes parties du bâtiment.

ADRESSE Bedford Park Boulevard West, Bronx
BUREAU D'ÉTUDES Severud & Associates
COÛT $ 40 millions   SUPERFICIE 15 300 m²
MÉTRO 4 vers Bedford Park Blvd   AUTOBUS BX26, BX28
ACCÈS ne se visite pas

Rafael Viñoly Architects 1994

Le Bronx

Le Bronx

Rafael Viñoly Architects 1994

Queens

Musée-jardin Isamu Noguchi

Le sculpteur et créateur sino-américain Isamu Noguchi était convaincu que « les sens sont tactiles et non informationnels ou verbaux ». Dans ce musée consacré à son œuvre, il est impossible de réprimer l'envie de toucher : les sculptures délicates, les filigranes à texture sur le sol, les pommiers et l'eau étonnamment calme s'échappant d'une fontaine. La majorité de ses œuvres porte sur les oppositions – lisse/rugueux, plein/vide, naturel/artificiel – et de nouveaux ajouts sont ici juxtaposés au tissu préexistant, l'intérieur à l'extérieur, et l'art à son environnement.

Situé dans un quartier industriel, l'extérieur aux allures de forteresse ne révèle pratiquement rien de son contenu. Noguchi a réhabilité cet entrepôt de brique à deux étages pour produits chimiques et photographiques, il a ajouté une structure en blocs de ciment et il a rempli la forme triangulaire du site par un jardin de rocaille. Mêlant délibérément l'extérieur et l'intérieur, les murs de brique ne prennent pas fin mais se prolongent dans le jardin, la première galerie est sans toit et ainsi de suite. Des fenêtres ouvertes ont été percées aux points stratégiques dans les murs épais pour que les vues sur Manhattan fusionnent avec la pluie et les bouleaux intérieurs. Grâce à un maniement élégant de l'espace, le visiteur est conduit à travers 14 galeries séparées. Le parcours est cyclique et on peut circuler à volonté. L'atmosphère du musée est décontractée et recueillie, émouvante et sereine.

Parmi les œuvres publiques de Noguchi figurent les sculptures de la cour du 1 Chase Manhattan Plaza, le mur d'eau bordé d'arcades du 666 Fifth Avenue, la façade de l'Associated Press Building (Rockefeller Plaza entre 50th et 51st au Rockefeller Center) et le Cube vermillon du 140 Broadway.

ADRESSE 32-7 Vernon Blvd, Long Island City, Queens
MÉTRO B, Q vers 21st Street ; N vers 36th Street   AUTOBUS Q103, Q104
ACCÈS ouvert au public d'avril à novembre. Téléphoner avant

Queens

Isamu Noguchi et Shoji Sadao 1985

Isamu Noguchi et Shoji Sadao 1985

Musée américain du cinéma

De vastes surfaces de jaune baryum et de rouge vermillon stimulent ce quartier gris. Une façade volumétrique trapue aux angles et aux courbes entrecroisés contraste vivement avec les hangars des entrepôts environnants. Visible de la voie express, l'extérieur lumineux et séduisant attire le visiteur potentiel. Toute cette gaieté tapageuse concerne l'arrière du bâtiment.

Le bâtiment d'origine fait partie des légendaires studios Paramount. Des vedettes du cinéma muet comme Rudolph Valentino, Gloria Swanson, W C Fields et les Marx Brothers ont tourné ici. Le loft de trois étages qui abrite le musée figure sur la liste du registre national des lieux historiques, ce qui interdit toute modification de la façade antérieure. Gwathmey Siegel a installé dans l'axe de l'entrée principale un nouvel escalier et une cage d'ascenseur, équilibrant avec grâce et transparence la façade sur rue, en maçonnerie à quadrillage symétrique, et augmentant la superficie de l'intérieur.

D'après les architectes, l'escalier est « l'objet symbolique… qui oriente la totalité du complexe ». En porte-à-faux sur le noyau des ascenseurs, l'escalier de béton est entouré de panneaux de verre feuilleté teinté encadrés de solives en acier blanc. L'articulation des jonctions entre l'ancien et le neuf est délibérément exagérée.

ADRESSE 35th Avenue et 36th Street, Astoria, Queens
BUREAU D'ÉTUDES Severud Szegezdy
SUPERFICIE 3250 m²
MÉTRO G vers Steinway Street; N vers 39th Street/Beebe Avenue
AUTOBUS Q66, Q101, Q102
ACCÈS libre

Gwathmey Siegel & Associates Architects 1988

Queens

Queens

Gwathmey Siegel & Associates Architects 1988

Citicorp à Court Square

Cette imposante tour d'argent qui est le plus haut bâtiment hors de Manhattan se voit de partout. Unique gratte-ciel de Queens, elle est placée exactement dans l'axe du bâtiment de Citicorp du centre de Manhattan. Implanté sur un site résidentiel d'un hectare entouré d'avenues historiques et d'un petit parc, cet édifice de 50 étages est une curieuse insertion dans un quartier historique. Trapu et ramassé, il se dresse, serein et solitaire, au bord d'une paisible rue de village.

La tour est faite d'un mur-rideau à tympan de verre qui enveloppe des panneaux métalliques vert pâle et présente des décrochements d'angle progressifs et spectaculaires aux étages supérieurs. L'esplanade d'entrée – une rotonde de verre de sept étages renfermant un grand hall piétonnier – est accessible par deux stations de métro. Cet atrium souterrain à éclairage zénithal est décoré de la pléthore habituelle de plantes d'intérieur et d'une cascade bruyante. Le fait qu'une tour de 199 m de haut ait été planifiée avec une entrée sous le niveau de la rue exprime clairement la volonté architecturale de souligner les liens du bâtiment avec son homologue de Manhattan. Une ligne de métro relie directement le Citicorp d'origine sur Lexington Avenue et East 53rd Street et cet emplacement de Queens.

Queens

ADRESSE 44th Drive et 45th Avenue, Queens
SUPERFICIE 130 000 m²
ACCÈS libre dans l'atrium et le vestibule

Skidmore, Owings & Merrill 1989

Skidmore, Owings & Merrill 1989

Cour d'assises du comté de Queens

Dans le cadre d'un plan par tranches, trois ajouts ont été faits à un tribunal existant, le but final étant de réunir en un complexe unique les équipements de la Cour d'assises du comté de Queens. Les nouveaux ajouts – une nouvelle entrée, une esplanade publique et une aile est – accueillent dix nouveaux tribunaux, les bureaux centralisés des greffiers, des cellules provisoires de police sûres et des espaces pour les services de liberté surveillée. Les considérations de sécurité étant d'une importance suprême, le site a été organisé autour de cours qui offrent aux juges des stationnements protégés par des grilles et donnent des vues aux bureaux contigus. Le désir de refléter le caractère verdoyant et suburbain de Queens était important.

Comme l'ont dit les architectes, ce projet supposait de « prendre un bâtiment terne et rebutant pour l'améliorer ». La construction des années 1950 manquait de présence civique. L'édifice neuf, sombre mais élégant, est un bâtiment résolument bienséant – contemporain et de bon goût – étonnamment accueillant. Les ajouts enveloppent le vieux bâtiment et intègrent avec bonheur l'ancien et le neuf qu'il est difficile de dire où se trouve le point de jonction.

Le site, visible directement de Queens Blvd et Van Wyck Expressway, nécessite une présence à l'échelle de l'automobile : cette considération esthétique suburbaine contemporaine est satisfaite par un grand élément incurvé en miroir vert. Une construction cinétique du sculpteur japonais Susumu Shingu précède le vestibule. Les mouvements cycliques de cette grande œuvre circulaire d'acier inoxydable sont conçus comme une métaphore de l'individualité dans le cadre des restrictions imposées par la législation, que ce soit les lois de la nature ou celles de la société.

ADRESSE 125-01 Queens Boulevard
MÉTRO F vers Van Wyck   AUTOBUS Q60
ACCÈS libre dans le vestibule et dans les salles d'audience

Ehrenkrantz & Eckstut Architects

Ehrenkrantz & Eckstut Architects

Reconstruction du Queens Museum

On doit à Robert Moses, qui fut Commissaire aux parcs de New York City de 1934 à 1960, la construction de 14 autoroutes, plus de 640 kilomètres de routes touristiques, sept ponts importants, des dizaines de logements sociaux, 658 terrains de jeux ainsi que celle du siège des Nations-Unies, du Centre Lincoln, du New York Coliseum, du Shea Stadium, de Co-op City et de Jones Beach. Aujourd'hui on attribue à ce visionnaire mégalomane des créations positives mais aussi bien des erreurs d'urbanisme.

« Robert Moses a été, pendant presque un demi-siècle, l'homme le plus puissant de notre époque à New York, l'auteur non seulement de la politique de la ville mais aussi de sa structure physique » déclare Robert Caro dans sa biographie de Moses, intitulée *The Power Broker*. « Il a conçu et réalisé personnellement des ouvrages publics d'un montant de $ 27 milliards. C'est le plus formidable constructeur qui ait jamais existé en Amérique (et probablement dans le monde entier) ».

Nommé président de la World's Fair Corporation de 1964-1965, Moses a commandé un énorme modèle réduit tridimensionnel des 829 km² que couvrent les cinq « boroughs » de New York City. Une promenade de huit minutes en véhicule à chenilles annoncée comme le « tour en hélicoptère » faisait faire aux visiteurs le tour de la métropole. Couvrant 871 m², la maquette à l'échelle de 1/360ᵉ reproduit fidèlement la topographie autant que l'architecture.

Destinée à servir d'outil d'urbanisme après l'exposition, elle ne répondit jamais à cette attente. Propriété de la Triborough Bridge & Tunnel Authority, elle a subi récemment deux ans de rénovation par Lester Associates, son fabricant d'origine. 95 000 bâtiments miniatures se sont ajoutés aux 800 000 d'origine.

Incontournable pour celui qui s'intéresse aux villes, la maquette est superbe. Une rampe ascendante à fond de verre permet d'en faire le tour et offre tous

Queens

Rafael Viñoly Architects 1994

Rafael Viñoly Architects 1994

les points de vue possibles. Passant de la lumière du jour artificielle à un paysage nocturne, la maquette entière scintille dans l'obscurité. Un avion en vol atterrit chaque minute au minuscule aéroport de La Guardia. La maquette, qui offre une vue cavalière magnifique, fait éprouver au visiteur l'étendue, l'échelle et la densité de la « Grosse Pomme ».

L'espace où est exposée la maquette a été reconçu par Rafael Viñoly Architects dans le cadre de la reconstruction totale du Queens Museum, édifié à l'origine pour l'exposition universelle de 1939. Le programme prévoyait la réintégration du musée et du parc, obtenue en prolongeant la façade est de l'édifice existant et en créant une nouvelle entrée officielle face au parc. Cette entrée incorpore un tambour d'aluminium de 5 m de diamètre et une lucarne placée dans l'axe de l'Unisphere – une sculpture sphérique en acier inoxydable de 380 tonnes représentant la terre et ses satellites sur orbite. L'Unisphere est la mascotte de Queens, elle mesure 12 étages de haut et repose sur un socle d'acier de 70 tonnes et 6 m de haut.

La façade nord du musée a été redessinée pour accueillir une entrée secondaire pour le personnel et revêtue de nouveaux panneaux de béton précontraint pour s'assortir au calcaire existant. Une marquise de verre et d'acier en porte-à-faux de 5,40 m surmonte cette entrée.

D'après les architectes, l'intérieur du musée qui est aujourd'hui une suite d'espaces attrayants et gracieux a été conçu pour être « flexible, fonctionnellement clair et esthétiquement neutre ».

ADRESSE Flushing Meadow, Corona Park
MAÎTRE D'OUVRAGE New York City Department of General Services
MÉTRO 7 vers Willets Point
AUTOBUS Q23, Q58, Q88
ACCÈS libre

Queens

Rafael Viñoly Architects 1994

Rafael Viñoly Architects 1994

Queens

Brooklyn

Rotunda Gallery

Baptisée du nom de son emplacement d'origine, la rotonde de Brooklyn's Borough Hall, la Rotunda Gallery à but non lucratif se trouve maintenant au rez-de-chaussée d'un immeuble de bureaux à Brooklyn Heights. Le projet malicieux n'ignore pas la relation entre l'observateur et l'observé. La définition et la position des éléments de la galerie ont pour but d'encourager l'engagement grâce au chevauchement : escalier/balcon d'observation, porte mobile/mur.

On est parvenu à une flexibilité extraordinaire. Le principal élément de l'organisation est une cloison pivotante de deux étages qui tourne en suivant un arc d'acier encastré dans le sol de béton. Quand le mur est ouvert, la plate-forme d'entrée offre une vue complète de la galerie. Quand il est partiellement ouvert, le mur devient une porte et interdit l'accès, modifiant les espaces environnants. Une passerelle d'exposition permet d'accéder aux bureaux en mezzanine. L'escalier de béton qui y mène a une marche incrustée d'une bande d'érable à double fonction : elle permet de fixer des objets exposés et marque une hauteur de 1,60 m au-dessus du sol, niveau optimal pour la présentation des œuvres d'art. La balustrade de plexiglass translucide contraste élégamment avec les marches de béton brut. Partout, les matériaux contribuent à créer une atmosphère nette et dépouillée : béton, contreplaqué d'érable clair, acier, Lexan, aluminium coulé. L'éclairage, conçu pour créer une illusion de perspective artificielle, donne l'impression que l'espace est plus vaste. Cet espace dégage une légèreté se prêtant bien à l'exposition d'œuvres d'art.

ADRESSE 33 Clinton Street, Brooklyn Heights
SUPERFICIE 150 m²
MÉTRO 2, 3, 4, 5 vers Borough Hall ; A, C, F vers Jay Street/Borough Hall ; M, N, R vers Court Street
AUTOBUS B25, B26, B38, B41, B51, B52
ACCÈS libre

Brooklyn

Smith-Miller + Hawkinson Architects 1993

Brooklyn

Smith-Miller + Hawkinson Architects 1993

Faculté de droit de Brooklyn

Cette tour de 11 étages en béton précontraint et en calcaire est en réalité l'agrandissement d'un édifice existant depuis 1968. Les neuf premiers étages, qui abritent les services pour les étudiants et la faculté, sont reliés au bâtiment d'origine ; aux deux étages supérieurs, indépendants, se trouvent un restaurant élégant et une bibliothèque.

Ce bâtiment vaguement postmoderne et résolument contextuel occupe un emplacement superbe. Le centre de Brooklyn est un groupement d'édifices historiques majestueux, en majorité de style néo-grec. Brooklyn était jadis la troisième ville d'Amérique par la taille et elle n'a pas été engloutie par Manhattan avant la fusion des deux villes en 1898.

Robert Stern a déclaré : « Cette solution visait à s'insérer dans le contexte que j'ai considéré comme défini par les divers types d'architecture classique qui l'entourent ». La faculté de droit qui est un édifice assez terne se fond tellement bien dans son environnement qu'elle risque presque de disparaître.

ADRESSE 250 Joralemon Street, Brooklyn Heights
ARCHITECTES ASSOCIÉS Wank Adams Slavin Associates
COÛT $ 25 millions
SUPERFICIE 8400 m²
MÉTRO 2, 3, 4, 5 vers Borough Hall ; A, C, F vers Jay Street/Borough Hall ; M, N, R vers Court Street
AUTOBUS B25, B26, B37, B38, B45, B51, B52, B65, B75
ACCÈS ne se visite pas

Brooklyn

Robert A M Stern 1994

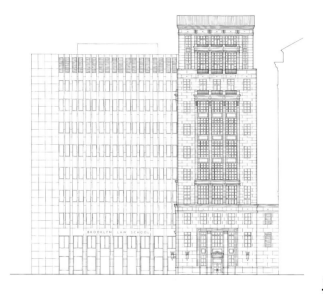

BROOKLYN LAW SCHOOL

Robert A M Stern 1994

Entrer dans ce théâtre, c'est comme entrer dans une ruine antique. Derrière des portes vert foncé neuves et brillantes se trouve une merveilleuse combinaison d'ancien et de neuf, de surfaces rénovées et sinistrées. Construit en 1903 pour 1700 spectateurs, il était célèbre pour ses représentations des comédies musicales de Gershwin. Abandonné en 1968 en raison de l'évolution démographique, cet espace majestueux est tombé en ruines.

La rénovation a nécessité une reconfiguration de l'espace. Les architectes ont transformé un plan classique du début du siècle en expérience plus intime. Le théâtre existant avait trois niveaux, des balustrades traditionnelles aux loges, deux balcons et une avant-scène. Hardy Holzman Pfeiffer a surélevé la scène et l'orchestre d'un niveau que le public et la scène se trouvent au même niveau. La mezzanine a été supprimée, réduisant la capacité à 900 spectateurs. Les nouveaux sièges mode – des bancs capitonnés et de hauts tabourets à dossier – sont une innovation par rapport aux chaises de velours somptueuses.

Le hall est d'origine et son délabrement a été mis en valeur. Les couches murales aux couleurs vives, mises à nu par le plâtre écaillé et portant des traces de coulées ont été laissées telles quelles. Les surfaces naturellement délabrées discontinues ont été raccordées par des surfaces indiscernables fraîchement replâtrées et prédétériorées. L'ossature apparente a été ignifugée et peinte. L'espace doit sa richesse à la perception des différentes couches historiques.

ADRESSE 30 Lafayette Avenue, Fort Greene, Brooklyn
MAÎTRE D'OUVRAGE The Brooklyn Academy of Music
BUREAU D'ÉTUDES Purdy & Henderson Associates
COÛT $ 5 millions
MÉTRO 2, 3, 4, 5, D, Q vers Atlantic Avenue ; A, C vers Lafayette Avenue ; B, M, N, R, vers Pacific ; G vers Fulton Street   AUTOBUS B25, B26, B38, B52
ACCÈS libre

Brooklyn

Hardy Holzman Pfeiffer Associates 1987

Brooklyn

Hardy Holzman Pfeiffer Associates 1987

**Brooklyn Museum :
agrandissement et plan directeur**

Cet agrandissement est une entreprise qui doit durer 25 ans et on espère qu'il sera terminé d'ici à la deuxième décennie du XXIᵉ siècle. Une équipe étonnante de collaborateurs a été sélectionnée par un concours d'architectes invités organisé en 1986. James Stewart Polshek and Partners et Arata Isozaki & Associates furent choisis parmi cinq éminents demi-finalistes. Les deux compagnies ont fait équipe parce que le concours exigeait l'affiliation à une firme patentée dans l'État de New York.

Les deux agences avaient des domaines de compétence pertinents mais différents. Polshek a apporté la prose et Isozaki la poésie. Le projet gagnant, qui propose d'agrandir l'élévation sud, comporte un nouveau jardin de sculptures, un restaurant, des terrasses et des escaliers soignés reliant le musée au Prospect Park contigu. Un obélisque de 45 m de haut destiné au centre du musée existant s'est inspiré du plan directeur d'origine établi en 1893 par McKim, Mead & White et qui ne fut jamais mené à terme. On a dit que le projet gagnant avait « une échelle adéquate de monumentalité ».

Des dix tranches de travaux prévues, seule la première est actuellement terminée. Elle comporte un nouveau service d'entreposage des œuvres, un nouvel auditorium et la rénovation de l'aile ouest tout entière. Son joyau est incontestablement l'auditorium. Situé au troisième étage d'un agrandissement des années 1970 conçu par Prentice & Chan, Olhausen, c'était un espace d'exposition resté inachevé pendant des années. C'est maintenant une salle de conférence très digne de 930 m² et 460 places, dont le trait le plus remarquable est le plafond extraordinaire.

La surface ondulante est à la fois originale et superbe. Conçue comme une série de paraboloïdes hyperboliques (des sinusoïdes allant dans deux

Brooklyn

Arata Isozaki & Ass./James Stewart Polshek and Partners 1992

Arata Isozaki & Ass./James Stewart Polshek and Partners 1992

directions), sa construction a nécessité une technologie particulière. Un quadrillage a été superposé au plan du plafond et on a effectué des calculs de point à point. Ce quadrillage déformé a été effectivement utilisé pendant la construction, défini par un rayon laser. L'ossature en treillis métallique a été mise en place en premier, puis le plafond a été fini par des maîtres-artisans grâce à une technique de tour utilisant le plâtre sur fil métallique. C'est un heureux mariage de panneaux perforés d'acier inoxydable, d'escaliers d'acier inoxydable et de 560 m² de lambris de chêne raccordé verticalement, découpé dans un seul arbre, à l'arrière de la scène et sur les murs. Un avant-goût très prometteur de la suite à venir.

ADRESSE 200 Eastern Parkway, Crown Heights
BUREAU D'ÉTUDES Robert Silman Associates
COÛT $ 17,5 millions
SUPERFICIE 4 900 m²
MÉTRO 2, 3 vers Eastern Parkway
AUTOBUS BX71
ACCÈS libre

Brooklyn

Arata Isozaki & Ass./James Stewart Polshek and Partners 1992

Brooklyn

Arata Isozaki & Ass./James Stewart Polshek and Partners 1992

Serre Steinhardt

Charmante et paisible oasis, c'est un ensemble de bâtiments enchanteurs étincelant au soleil et dans la nuit. Situés sur le périmètre extérieur des jardins botaniques de Brooklyn (dont le plan directeur a été établi en 1910 par Frederick Law Olmsted), ces trésors transparents assurent la transition entre la nature et la ville, la rue et le paysage.

Bien que traitée comme une construction unique, elle se compose en réalité de quatre parties distinctes : un bâtiment linéaire contigu à Washington Avenue et trois pavillons octogonaux séparés placés devant. La conception de serres néovictoriennes en verre et tubes d'acier emboîte un peu le pas à la Palm House voisine (rebaptisée Steinhardt Conservatory) conçue en 1918 par McKim, Mead & White et quasiment reconstruite par Davis, Brody & Associates. Sa forme ovale rebondie est contrebalancée par la configuration anguleuse et rectiligne des constructions plus récentes.

Les trois pavillons à deux niveaux sont reliés par une galerie circulaire souterraine. Chacun est couronné d'une coupole centrale. L'ossature portante en acier a été peinte en vert tendre à l'extérieur et en blanc soutenu à l'intérieur. Cette coque soutient des panneaux de verre horizontaux, alternative contemporaine aux panneaux verticaux plus fréquents. Des escaliers extérieurs se rattachent à différentes allées du jardin. Comme on entre dans chaque pavillon par le niveau inférieur, le monde végétal spectaculaire se révèle théâtralement à mesure que l'on monte. Une fois à l'intérieur de ce qui est un contenant, l'attention se reporte à juste titre sur les objets exposés.

ADRESSE The Brooklyn Botanic Gardens, 1000 Washington Avenue
BUREAU D'ÉTUDES Goldreich, Page & Thropp
COÛT $ 25 millions
MÉTRO 2, 3 vers Eastern Parkway   AUTOBUS BX71
ACCÈS libre

Davis, Brody & Associates 1988

Brooklyn

Brooklyn

Davis, Brody & Associates 1988

Synagogue Kol Israel

Cette synagogue combine postmodernisme et contextualité. Les matériaux – brique rouge, murs à chaînage de pierre et toit de tuiles rouges – reprennent les caractéristiques méditerranéennes de l'architecture locale des années 1920. Pour respecter les restrictions imposées par le POS à la hauteur et aux décrochements, le site tout entier a été excavé de 3,15 m sous le niveau du sol. Le sanctuaire principal placé dans cet espace abaissé s'élève à 10 m de haut et l'intérieur étonnamment vaste offre 350 places. Les balcons de chêne, les poutres de bois du plafond et les finitions luxueuses, notamment les carreaux en mosaïque, embellissent ce temple syrien orthodoxe.

Brooklyn

ADRESSE 2504 Avenue K, Midwood
MAÎTRE D'OUVRAGE Congregation Kol Israel
MÉTRO D vers Avenue J
AUTOBUS B6, B9, B11, B44, B49
ACCÈS ne se visite pas

Robert A M Stern 1989

Robert A M Stern 1989

Caserne de pompiers des groupes 233 et 176

Ce projet selon des études de procédé est un concept intellectuel. Deux quadrillages se chevauchent et s'entrecroisent : l'un est basé sur le site de la caserne, l'autre sur les lignes aériennes de transport en commun. Les matériaux respectifs de ces quadrillages différencient et intègrent encore plus les deux structures. Le rez-de-chaussée est placé à l'intérieur du quadrillage existant du site, reflétant son emplacement d'angle en répétant le plan en échiquier des rues. Un bloc carré de béton coloré fait écho à la maçonnerie du quartier. Le niveau supérieur trace une oblique de 45°. Carrés dans des carrés, les deux quadrillages de ce bâtiment, l'un des premiers déconstructivistes, sont raccordés sur la façade principale par une travée d'acier inoxydable abritant les salles de contrôle centrales.

L'ossature métallique apparente fait écho au chemin de fer aérien voisin. Les bureaux sont situés au niveau mezzanine, comme on le voit sur l'élévation nord. Les pièces utilisées dans la journée et les dortoirs sont représentés à des niveaux différents. Une touche de fantaisie est le rouge-pompier qui apparaît par intermittence pour rappeler simplement la fonction du bâtiment.

Le projet sculptural et évocateur, petit mais important, considéré comme tranchant lors de sa construction, aiguise l'appétit. L'architecture new-yorkaise étant dirigée en majorité par les financiers, elle a tendance à être conservatrice et sûre. Peter Eisenman est une célébrité internationale qui a construit dans le monde entier. Il est ironique que l'unique construction indépendante commandée pour sa ville natale soit cette caserne de pompiers de Brooklyn.

ADRESSE Rockaway Avenue et Chauncey Street, Ocean Hill
BUREAU D'ÉTUDES Robert Silman Associates
MÉTRO J vers Clancey Street ; L vers Bushwick/Aberdeen
AUTOBUS B20, B25, Q24, Q56
ACCÈS ne se visite pas

Brooklyn

Eisenman/Robertson Architects 1985

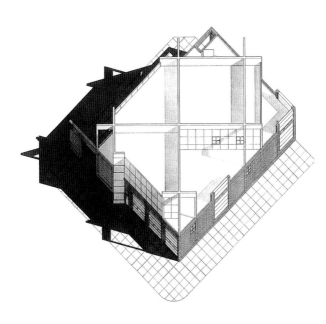

Brooklyn

Eisenman/Robertson Architects 1985

Architecture portative

Pavillon de musique Carlos Mosely

Plusieurs structures de textile extensible très visibles sont disséminées çà et là dans Manhattan. Modèles de perfection, elles ressemblent à des créatures marines d'un blanc éclatant, dans diverses positions de repos. Ces géométries complexes matérialisées ressemblent à des études spatiales tridimensionnelles tirées du gros ouvrage de D'Arcy Thompson, *On Growth and Form*. Conçues par l'agence novatrice d'architecture FTL, ces structures sont temporaires en permanence.

FTL est le sigle de Future Tents Limited. Préoccupés par l'interaction de la structure et de la forme, ses membres ont été fortement influencés par l'œuvre de Frei Otto (avec qui Nicholas Goldsmith, un des associés, a travaillé plusieurs années en Allemagne) et de Buckminster Fuller. La technique est intégrée à leur travail au même titre que l'étude de la nature : surfaces minimales, bulles de savon, toiles d'araignée. Les architectes résument : « La forme concerne la technique et les matériaux utilisés sont directement en rapport avec la forme et la technique ». On peut apercevoir ces belles tentes d'une haute technicité au Port Authority Ferry Terminal, au Winter Garden du World Financial Center (voir page 28), et à Bryant Park lors des somptueux spectacles de mode semestriels « Seventh on Sixth ».

La plus mobile de ces formes urbaines parallèles et nomades est le Pavillon de musique Carlos Mosely. Cette tente conçue pour le Metropolitan Opera et le New York Philharmonic est une coque portative pour orchestre. Un baldaquin à membrane de polyester tendu sur trois fermes d'acier à cadre ouvert, une scène pliante et 24 haut-parleurs escamotables peuvent être montés en six heures. Le pavillon est transporté par sept camions faits sur mesure dont cinq sont modifiés pour faire partie de la structure.

La scène est en contreplaqué à huit panneaux articulés et soutenue par des poutres d'aluminium léger. Les bords et le centre arrière reposent sur

FTL Architects 1991

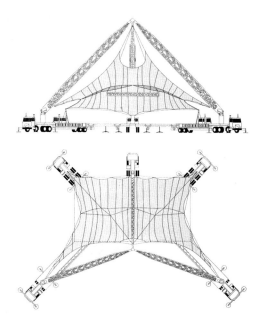

FTL Architects 1991

des plateaux de camions-remorques dont le dessous est lesté de béton. Ces lests sont nécessaires pour compenser la poussée de la superstructure et de la membrane tendue au-dessus. La membrane elle-même est en polyester d'une épaisseur de 1,5 mm soudée avec du PVC sur les deux côtés. Sa mise en place est spectaculaire : on la hisse à l'aide d'un treuil et d'une corde en fibres synthétiques fixée directement sur le tissu.

Architecture portative

ADRESSE emplacements temporaires dans 16 parcs des cinq « boroughs » de New York City
MAÎTRE D'OUVRAGE New York Department of Cultural Affairs, New York Philharmonic & Metropolitan Opera
BUREAU D'ÉTUDES M G McClaren, Buro Happold
COÛT $ 3,4 millions
SUPERFICIE 290 m²
ACCÈS libre

FTL Architects 1991

Architecture portative

FTL Architects 1991

Index

New York : guide de l'architecture contemporaine

New York : guide de l'architecture contemporaine

New York : guide de l'architecture contemporaine

New York : guide de l'architecture contemporaine

New York : guide de l'architecture contemporaine

New York : guide de l'architecture contemporaine

New York : guide de l'architecture contemporaine

New York : guide de l'architecture contemporaine

New York : guide de l'architecture contemporaine